新潮文庫

ああ、恥ずかし

阿川佐和子ほか著

新潮社版

7243

はじめに

思い出すたびに顔が赤くなる――。
できれば記憶を消去したい――。
誰にでも、決して明かしたくない失敗があるもの。
しかしここに、自らの失敗を告白しようという、
勇気ある女性たちが集いました。
その数、総勢七十名。
読み終えたあなたは、必ずこう思うでしょう。
「よかった。私だけではなかったのだ……」

本文カット　松永ノブコ

目次

4　こんな結果になるとはね。

5　これって恥ずかしいことなの？

6 仕事だからって、ここまでする？

ああ、恥ずかし

1 つい、うっかりと……。

赤恥ダイジェスト

諸田玲子
（作家）

そそっかしい上に、何かに没頭すると上の空になってしまう私。「恥ずかしい」経験を書けと言われたら書ききれない。で、今回は駆け足でダイジェスト版を……。

まずは海外編。その一。ミラノからウィーンへ出る夜行列車に飛び乗った。座席がない？　よく見ると切符の日付が明日になっている。トイレの前の通路で悲惨な一夜を過ごすハメに。その二。ウィーンからベルリンへ、これも夜行列車。さあワインでも、と思ったところへ銃を手にした兵士が入って来た。強引に降ろされ、ジプシーと一緒に強制送還列車へ。ビザをとるのを忘れていた。まだチェコにビザが必要だった頃の話だ。その三。チュニジアでのこと。飛行場から他人のサムソナイトをホテルまで持って来てしまった。もちろん同型同色。開かないので腹を立て、鍵《かぎ》をこじあけたところで間違いに気づく。大あわてで飛行場へ引き返すと、私の名前を大書したサムソナイトがぽつんとひとつ。空港で昼寝をしていて、うっかり飛行機に乗り遅れそうになる、なんてのはしょっちゅうだ。極めつきはロンドン。何を間違えたか、帰りのチケットをホテルのごみ箱に捨ててしまった。気がついたのは空港に着いてから。蒼白《そうはく》になり、盗まれたと嘘《うそ》を言って新たなチケットを買う。盗難届けのお陰で料金が八割返って来た。バージンエアのお姉さん、嘘をついてごめんなさい。

お次はなつかしの赤面編。幼稚園の入園試験でのひとこま。「好きな食べ物は？」先生が訊《たず》ねる。私は胸を張って、「お魚の皮」――真っ赤になったのは、私ではなく母。

小学校の駆けっこで、一等を走っていた。母が身を乗り出して、夢中で声援を送る。その声につられて母のほうへ向きを変える。仰天して、「あっち、あっち」と追いたてる母の顔が、今もくっきりまぶたに焼きついている。私はもちろんビリッケツ。

最後に。数日前のこと。スーパーマーケットでコーヒー豆を買った。ハサミで袋を切り中身をザーッと備付けのミルに入れる。あれ！　豆ではなく挽《ひ》いた粉だった。店員さんを呼んで謝ったときの恥ずかしさ。

それにしても、どうしてこうそそっかしいのか。あきれながら、玄関へ出る。「いらっしゃい」頭を下げたとたん、スカートがストン。ファスナーを閉めるのを忘れていた。ああ、恥ずかしい。これ、作り話ではなくほんとの話。

送信完了

春口裕子
（作家）

真夜中の一時。

私はパソコンの前で地蔵のように固まっていた。その日初めて会った出版社の方たち三人へ、お礼メールを出そうと、文面を考えていたのだ。

ふだんからメールを書くスピードは遅いほうだ（と思う）。相手の顔を思い浮かべながら文章を考え、書いては消し、消しては書く。同時に複数の人へ宛《あ》てる『同報メール』を書くとなると、スピードはさらにダウンする。

私は大勢の人と話をするのが苦手だ。人数が増えれば増えるほど、おとなしくなっていく。老若《ろうにゃく》男女問わず、できれば一対一が好ましい。

メールもまたしかりである。だいたい立場や年齢が異なる人たちに共通の文章を書くというのは難しくないか？　しかし周囲の人々は、わりと難なくやってのけているように思えて、すごくうらやましかったりする。

現実社会でもネット社会でも閉鎖的な自分の性格を省みながら、三人へのメールをしたためる。全体の流れが固まったら、今度は文章のチェックをしていく。

「お話しすることができました」のところを、「お話しさせていただきました」に変えてみる。ちょっとクドいような気がして、「お話しできました」に直す。これでは砕けすぎかと腕組みをする。

すぐには決まりそうにないので、三つの文は羅列したまま、保留することにした。最後に一番良いものを選び、残りの二つを消せばよい。私は他の数箇所にも同じような処置をほどこした。

ところが、である。何の気の迷いか、文章を取捨選択する前に、送信ボタンを押してしまったのだ。

「頑張ります。頑張ろうと思います。頑張らねばと思います。」など、妙な活用をしたままの文章が、びゅーんと送信されてしまったのである。

「ああ、待って」

思わず画面に追いすがってしまった。が、もちろん機械は待ってくれない。作業はすみやかに実行され、『送信済み』のボックスに、さっきのメールのタイトルがちんまりと表示された。

送信、完了。

さすがADSL。仕事が速い。便利だなあ。便利だけど、すごく困った。

部屋の中で一人、私は肩を落とした。

よりによって相手は三人である。せめて一人ならば「ぷ」ぐらいで終わる失態だが(そうだろうか)、三人はいけない。翌日、三人が職場で顔をあわせたが最後、「見た、あれ。ぷぷぷ」という具合に、滑稽《こっけい》さもまさに三倍。穴があったら入りたいとはこのことである。

すぐさまお詫《わ》びのメールを送ったところ、お一人だけ、さわやかなお返事をくださった。私の失態については、いっさい触れられていなかった。

職業、作家。たしか、作家。こんなとき、ことさら深刻に響く二文字である。

早ガッテンの数々

吉行和子
（女優）

だいたいはのんびり構えている方なので他人は信じられないと思うかも知れないが、私はせっかちなのだ。早くことを片づけて、それから呑気《のんき》な時間が欲しい、と思っている。その為《ため》、注意力が不足する。つまり早ガッテンという結果になる。

ある日のこと、日曜日だった。

凝ったカーテンを制作しはじめた。無地の布に、自分の見たい景色をアップリケしていく、素敵じゃないか。即はじめ出した。手縫いではもどかしい。タクシーに乗り近くのデパートへ行き小型のミシンを買った。配送しかけたのを、いま持って帰りますから、と受取り、またタクシーで帰る。歩行者天国の為、デパートからかなり歩かないとタクシーの走っているところまで行きつかない。こういう時は力が出るので苦にならない。

さっそく続きを始めたとたん十センチも進まないうちにピタッと縫えなくなってしまった。

欠陥商品だ、とそのミシンをがばっと摑《つか》み、またタクシーに乗って売り場まで行き、今買ったばかりなのに、もう駄目になりました、他のと取りかえていただけないでしょうか、とちょっと下手《したて》に出ながらも、そっちのせいだ、という感じで差し出した。

まあそれは申しわけありませんと持って行った店員さんは、暫《しばら》くして戻って来て、もっと申しわけなさそうに、しかも大変言いにくそうに、こう言った。

「あのーこのミシンは壊れておりませんが……ハリが折れていました……」

それじゃ縫えないのは当り前、せっかちで乱暴な私としては充分納得がいった。針を五本買い、またミシンを持って帰った。その時くらい歩行者天国が長く感じられ、ミシンが、たとえ小さくても重いものだと分ったときはない。

こういうことがよくあるので、はかがいかないわりには忙しい。

そうそう、この間遺言を書いてみた。この世の中、何が起るか分らない。それに歳《とし》だって充分その時が来ている。悩むほどの問題もないのでさっさと書いて、封筒に入れ、「遺言状」と大きく書き、これでいいかしらと妹に見せようと洋服のポケットに入れておいて、そのままクリーニングに出してしまった、らしい。一週間後、長年おねがいしている人のいいクリーニング屋さんが、おずおずと、これまた言いにくそうに、こんなものが入っておりましたので……、と返してくれた。

結構恥しかった。

また、やっちゃった……

乃南アサ
（作家）

日頃はパーティーなど大の苦手で、いつも不義理をしている。だが、自分が作家としてデビューするきっかけになった「日本推理サスペンス大賞」の流れをくむものとして設立された「新潮ミステリー倶楽部賞」の第一回授賞式には、やっとこさ重い腰を上げた。場所は都内のホテル、八月末のことである。

受賞者の永井するみさんは、晴れやかな笑顔で、遠目には随分落ち着いておられるように見えた。でも、どうかな。私だって、頭の中が真っ白になってた時に「落ち着いてたね」と言われたもの。

天童荒太氏の音頭《おんど》で乾杯が終わると、すし詰め状態に近かった人々は、ざわめきと共に動き始めた。私が、さて、これからどうしようかと思っていると、編集者のK氏が近付いてきて、受賞者に挨拶《あいさつ》でも、と言われる。私は人垣をすり抜けて会場の中央に進んだ。

永井さんは、近くから見ても、やっぱり落ち着いておられるように見えた。私は天童さんと二人で受賞者を挟むような形になり、少しの間お話をした。そのとき、永井さんがこちらを見て言われた。

「私、これからどうしたらいいんでしょう」

あら、やっぱり緊張なさってるのかな？　ここはひとつ、ちょっとは先輩らしい落ち着きも見せた方がいいかなと思った私は、にっこりと笑いながら答えた。

「ほら、あっちにお料理がたくさんありますから、召し上がりたいものから召し上がった方が、いいですよ」

その瞬間、永井さんの表情が固まった。彼女だけでなく、天童さんも、その向こうにいた編集者の方々も、皆で固まってる。あれ、どうしたの？

「あ、ええと、サンドイッチもありましたから、乾かないうちに――」

会場の一角を指さしながら言おうとする私に、K氏が鋭く囁《ささや》いた。

「今日のことじゃないですってば。今後の、作家活動のことです！」

しまった、また、やっちゃった！

気付いた時には遅かった。辺りには爆笑が広がり、私は汗だくになって「すみません」を繰り返さなければならなかった。

どういうわけか、私にはこういう早とちりや聞き間違いが多い。どこかに出かけて誰かに会うたび、それも、大真面目《まじめ》な会合や取材の時というと特に、ほとんど必ずこんなことがあるから、最近は、さほど恥ずかしいとも思わなくなってきたことが、実は一番恥ずかしい。

パンティの行方

工藤美代子
（ノンフィクション作家）

恥ずかしい体験は山ほどある。どう考えても、普通の人より多いのではないかと思う。

子供の頃から、すごくおっちょこちょいだった。四歳のとき、右足に二枚くつ下をはいてしまい、左足のくつ下がないと騒いでいたという。

小学校に行くようになると、忘れ物の名人といわれた。必ず何か忘れ物をする。だから通信簿には「集中力に欠ける」と書かれた。自慢ではないが、小学校一年から六年まで、ずっと毎学期そう書かれた。書かれた私も私だが、書き続けた教師も教師だ。よほど腹にすえかねていたにちがいない。

その証拠に、小学校二年生のときは、なんと、ランドセルを忘れて学校へ行った。これには親も教師もあきれはてた。

高校生になると、私のおっちょこちょいには、さらに磨きがかかった。セーラー服のリボンをしてゆくのを忘れて登校するのなど日常茶飯事だった。ただ、小学校や中学校と違って、高校は電車通学だったから、簡単には忘れ物を取りに家へ引き返せない。といってセーラー服にリボンを結んでいないと、先生からしこたま怒られる。

仲良しのスズコちゃんが、「あたしの汚れた黒のくつ下ならあるけど」といった。「ああ、それならごまかせる」といって、私は彼女の使いふるしの黒いストッキングをリボンの代りにセーラー服の衿《えり》に巻いた。ちょっと見るとわからないので、朝礼のときの服装検査は、なんとかパスできたが、校長先生の訓話を聞いている間、ずっとプンプンくつ下が匂《にお》って参ったのを覚えている。

それでも、リボンなら代用品が調達できる。もっとひどいのは、あるとき、スカートをはくのを忘れて学校へ行ってしまったことだ、冬の朝、あわてて、セーラー服の上着だけ着て、下をはかないでオーバーをひっかけ飛び出した。この学校の教室について、ぱっとオーバーを脱いだら、下はシミーズだった。このときは、さすがに「アタマが頭痛です」といって、即わが家にUターンした。

そして四十八歳の今も相変らずおっちょこちょいだ。先日も近所に買物に出掛け、なんか歩き難《にく》いなあと思ったら、ジーンズの裾《すそ》から花柄のパンティがのぞいていた。前の日、一緒にジーンズとパンティを脱いだのをすっかり忘れて、ジーンズの片足にパンティがたぐまったままはいて外出した。歩いているうち、昨日のパンティは段々下がって、とうとう裾のとこまで来たのだった。思い出しても恥ずかしい話にはキリがない。

スタジオで凍った私

麻生千晶
（作家）

人間を長く開業していると、恥ずかしい体験なんて掃いて捨てるほどある。思うに、恥ずかしさの度合いが最も大きいのは、自分の行為の結果、人様に与えた迷惑のレベルが高いほど〝穴にでも入りたい〟心境になるものである。わが人生での最大のチョンボは、ほぼ二十名以上もの人々に迷惑をかけた事件である。

私はクラシックの音楽好きで、好きが高じて大学生と社会人の中間のような時期に、あるプロ合唱団の事務局で、マネジャーに毛が生えた程度の仕事をしていた。レギュラーのステージのほかにプロ合唱団の稼ぎ頭の仕事としては、テレビやラジオの出演がある。劇伴と称するドラマやドキュメンタリーのバック音楽に合唱が使われるのだ。

ある時、上司のマネジャーに仕事を任された。確か民放Aラジオの毎日五分の帯番組で、週に一回五日分、五曲を一度に録音するのである。まず、局のプロデューサーと電話で翌週に録音する曲の選定を行う。曲が決まれば楽譜を捜し出して、編曲してもらうように編曲者に届ける。週によって女声三部合唱であったり、混声四部合唱であったりいろいろである。編曲が出来上ってくると、写譜屋さんに頼んでパート譜にする。それをコピーして団員に当日配布するのだが、写譜から後は業者に任せて、録音の現場に譜面は届くようになっていた。

運命の日、私は意気揚々とスタジオに出かけた。既に現地集合の団員たちがソプラノ、アルト、テノール、バスと男女数名ずつ待機している。プロデューサーのB氏と助手が副調室にきて、「じゃいきましょうか」と言ったその時だった。届いていた楽譜を手にしたB氏と助手がパッと顔を見合わせた。

「○○さん（私の名）、これは女声三部になっているけど……」

「えーーっ！」

私は悲鳴と共に副調室から出て来たB氏から譜面をひったくった。五曲分とも全部が女声三部のパート譜になっていて、混声用のバスやテノールの楽譜は影も形も無いのであった。団員がざわざわし始めたが、私は凍りついたまま。編曲者に依頼する時に、「混声四部で」と言ったつもりで〝女声三部〟と伝えてしまったのに違いなかった。一から十まで全《すべ》て私一人の責任であった。何か言い訳をしようにもアタマの中は真っ白！

勿論《もちろん》この日の録音は全部パー、団員は容赦なく文句を言い始め、私は固まって下を向いたままだった。さらに恥ずかしかったのは、すかさず言ったB氏の言葉である。

「今日のミスは全て私の責任です。申し訳ありませんでした」。凍りついていた私は、結局、潔く詫《わ》びる機会を逸してしまったのである。今思い出しても恥ずかしくて、躰《からだ》が熱くなる。

それから数ヵ月も経《た》たないうちに、私はマネジャー業をクビになった。

ミラノの尻尾《しっぽ》

光野 桃
（作家）

イタリアを訪れた女性の感想は、イタリア男に声を掛けられたか否《いな》か、で大きくふたつに分れるような気がする。

ミラノに住んでいるとき、旅行にやってきた友人たちは、みな憮然《ぶぜん》とした表情で言ったものだ。わたしって魅力がないのかしら。街を歩いていても、ただの一度も声を掛けられないんだもの。

いいえ、それは違うのよ、とわたしは彼女たちを慰める。ミラノは都会だし、北イタリア人の気質って、ちょっと暗いの。だから、そうむやみに声なんか掛けてこないわよ。平気平気、あなたの魅力とはなにも関係ないんだから。

とは言いながらも、わたし自身、一度も声を掛けられないのは、やっぱり少しさみしかった。

ある初夏の午後のことである。友人との待ち合わせに遅れそうになっていたわたしは、急ぎ足で駅に向かっていた。向こうから初老の紳士が歩いて来る。いかにも上等の背広、胸にはしゃれたポケットチーフ、マストロヤンニをもう少しスリムにしたような味のある男性である。なんだか素敵、と思っていると、すれ違いざま、彼がわたしを呼び止めた。どきどきしながら、歩を緩めると、彼は立ち止まって振り返り、身振り手振りでさかんに何か言っている。早口の言葉がよく聞き取れない。しかし、ついに声を掛けられたのだ。わたしはにこやかに会釈《えしゃく》を返し、さっそうと歩き始めた。心持ち、胸がそっくりかえっていたと思う。

しばらくいい気分のまま歩き、ふと店のウインドウに目をやったわたしは、そこにただならぬものを目にしたのだった。尻尾である。スカートの下から尻尾が生えているではないか。あろうことか、ベージュ色のそれは歩くリズムに乗って、ひらひらと揺れ、風にたなびいている。

次の瞬間、尻尾の正体に思い至った。家を出る直前、今日は暑そうだ、と脱ぎ捨てたつもりのストッキングが、どういうわけかスカートにくっついてきてしまったのだ。マストロヤンニ男は、それを注意してくれていただけだった。あわててまるめてバッグへ押し込めながら、彼のことを思い返した。そういえば困ったような、泣きそうなような、それでいて温かな表情をしていたなぁ。真剣に教えてくれていたのに、勘違いして、ああ恥ずかし。でもやっぱり女に優しいイタリア男、これが日本だったら、と思うと冷や汗が出た。

また頑張ります

山田美保子
（コラムニスト）

「……で、いまはどうなんですか？」

　この一ヵ月間、何人の方からこう聞かれたことだろう。

『SINRA』で五年間にわたって連載させていただいた〝マイフェア・バディ〟が『エステの鬼　あなたのかわりに試してみました！』という単行本にまとまってから、お陰様で、あらゆるメディアから〝著者インタビュー〟をしていただいている。

「総額一〇〇〇万円以上！『美』の探求者、五年間の全記録」

　と帯にもあるように、この本は私が自腹で通いまくったエステや矯正歯科、マッサージ、美容院、ネイルサロンでの体験と結果が記されているのだが、皆

さんの興味はどうも、

「私はこうして二二キロ痩《や》せました！」

という見出しの〝ダイエット〟の項であるようだ。

ダイエット……。そりゃあ、おカネをかけましたとも。

最初に行われる〝お見積り〟により、

「一キログラム（痩せるのに）一〇万円（かかる）」

ということが判《わか》っても通いつづけたエステサロン。焼け石に水であることが判っても買いつづけた器具の数々。結果を信じて食べつづけたダイエット食品たち……。これはもう〝一〇〇〇万円〟ではきかないかもしれない。

二二キロというのは「延べ」ではない。実際に二二キロ減になったのだ。いや、なったことがある、が正しい（苦笑）。

私を痩せさせることに文字通り命を賭《か》けてくださった鈴木その子先生の指導のもと、ダイエットに大成功した、ことがあるのだ。

しかし！　あろうことか、また体重がジワジワと増え続けているのである。

鈴木その子先生の「お別れの会」までには痩せようと心に決めていたのにお

正月に出かけたハワイでお肉があまりにもおいしくて挫折《ざせつ》。『エステの鬼』が書店に並ぶころには、表紙のイラストと同じような体型になっていようと思っていたのに今日はワイン、明日は日本酒、その翌日は焼酎《しょうちゅう》にビール……と酒浸りの日々にピリオドを打てなくて挫折。

そうこうしているうちに著者インタビューラッシュとなってしまった。『エステの鬼』であることには間違いないのに、スリムというには程遠く、ビューティーという文字も見当たらない私を前に、冒頭の質問をする記者さんたち……。

この恥ずかしさをバネに（？）また頑張ります。ごめんなさい。

すうすうする

水原紫苑
（歌人）

　恥ずかしい話には事欠かないのですが、最近はよく着物を着るので、着物にまつわる失敗がまず思い浮かびます。

　着物は、夏は暑いけれど冬は暖かいだろうと考える方が多いのですが、私は下着さえ木綿を着ていれば夏の着物はさほど暑いと思いません。袖《そで》や身八つ口が大きく開いている着物の構造は、風を通しやすくて、却《かえ》って洋服より快い時もあります。でも、冬の寒さは本当に応《こた》えます。裾《すそ》や衿元《えりもと》から冷たい風が入ると裸で歩いているような辛《つら》さです。

　それで我慢しきれずに着物用の防寒下着を着けたことがあるのです。実は着物暮らしの方々はこれを愛用なさっているらしく、デパートには必ずある品です。二部式の毛糸編みで、下のほうは腰から足までをすっぽり筒状に包み込む形になっています。

大変暖かく、満足して電車に乗りました。東横線の中では何事もなく、渋谷で乗り換えて山手線へ。ところが、原宿を過ぎ、代々木にかかる頃から、何か腰のあたりがのびのびと楽になって来るではありませんか。気のせいだろうと思ったのですが、その妙な解放感はますます強くなります。腰紐《こしひも》がゆるんで裾が下がって来たかな、と下を向くと、着物の下から薄桃色の防寒下着がそろりと顔を出していたのです。これを見た時の私の動揺は何とお伝えしたらいいでしょう。とにかくそのままでは進退きわまってどうにもならないのです。

電車は幸い程よく混んでいて、私の足元に人の視線が注がれることはないようでした。しかし、これがつい三、四十年前であったなら、みんな着物というものを熟知していたのですから、裾から出ている派手派手しい色が何を意味しているのかたちまちわかって、私の恥ずかしさは電車の窓から飛び降りたいほどだったでしょう。それが、有難いと言うべきなのか、若い男の人などは、たとえ見てもおかしいとも思わず、着物というのはああいうふうに裾から別の色が出るのだな、ぐらいの理解にちがいありません。

とはいえ、みっともないのは自分が誰より知っています。車中で死んだふりをきめこんでいた私は、新宿に着くと、急いで降りて階段のそばの人の来ない一角に赴き、防寒用腰巻きの裾をずるずると引っ張って下までおろし、さながら蛇が衣を脱いだように地面に落として、素早くバッグにしまったのです。

以来、冬には裾がすうすうするのを我慢してしかめっ面《つら》で歩いているのです。

アマンドはゲットしたけれど

高野裕美子
（作家・翻訳家）

シュークリームはアマンドが一番。これはもう、譲れない私の持論である。シュークリームなのにドーナツ形というあの独創性（！）。粉雪も青ざめる（？）ふんわりと美しいフロストシュガー。味に至っては、何をか言わんや。

さて、酔っ払いというのは自分の主張が一番正しいと思っている。これはもう、譲れない私の経験則である。ふだんは小心者で編集者に逆らう度胸なんて到底ない私だが、酔うとやっぱりこの法則にあてはまる。最近弱くなったのか、単に飲み過ぎなのか、このくらい大丈夫と思っていて、いきなりストンとブラックホールに落ちたりするのがけっこう怖い。

あの夜もそうだったんだろう。私は某社の編集者といっしょだった。食事のあとどっかで飲んで、あのピンクと白のひさしのアマンドの前を通りかかったのはおぼえている。

まさか私は、「買って」と駄々をこねたのだろうか。シュークリームはここのが一番という持論を、熱心に展開していたような——。次の記憶は五コ入りの箱を持って、店の前でたたずむ私。彼が懐《ふところ》に財布をしまいながら出てきたような気がする。つまり、シュークリーム代を払ったのは彼だということだ。

編集者は笑顔で私をタクシーに乗せた。そのあと、その笑顔がどのように変化したかは知る由《よし》もない。

私は戦利品を手に、意気揚々と運転手に行き先を告げた。浜川崎で高速を降りるまでは順調だった。そのあとタクシーは、ドーナツの輪のごとく同じところをぐるぐる回り続けた。私にもどうしてかわからない。「だからぁ、そこを曲がってください」と運転手に指示すると、そういう結果になってしまうのだ。

ようやくマンションの前にたどり着き、チケットを渡してシュークリームを手に降りようとした私に運転手は言った。「お客さん、バッグ、忘れてるよ」

不運は続く。ドーナツの輪のように。エントランスで一階上のご主人と鉢合わせした私は、「今晩は」と笑ってごまかして五階までの階段を登りはじめた。エレベーターに乗ったら、ひどく酒臭いにちがいないから。精一杯背筋を伸ばして歩いていたつもりだった。あと一階、というところで、ハイヒールのつま先がスカートの裾《すそ》を踏んづけた。私はつんのめった。シュークリームの箱を抱えたまま。

翌日はひどい二日酔いだった。スカートの裾は破けていた。編集者に電話する勇気はもちろん、なかった。それでもいまだに、シュークリームはアマンドが一番だと思い続けている。

全部は脱ぎません

酒井ゆきえ
（フリーアナウンサー）

人にはそれぞれ、その人なりのやり方、流儀というものがあります。それがたとえ些細《ささい》なことでも。例えば他人はどんな着替え方をしているのでしょうか？

私は着替えるとき、上下ともいっぺんには脱ぎません。まず上半身を脱ぎ着替え、次に下半身。なるべくあらわな姿になりたくないので、決して下着一枚にはなりません。誰も見ていないのに恥ずかしいのです。

それは、私がまだ二十代前半の頃でした。今思い出すのもおぞましい、恥ずかしい出来事が起きたのは。その日、私はレインコートを羽織り、渋谷・井の頭線ガード下の横断歩道をいつものように渡りだしました。しかしなぜか足を踏み出し難《にく》く、歩幅も小さく、そのうち腰の辺りがモゾモゾし始めました。信号が変わりそうなので足を早めようとすると、ふくらはぎ辺りに何かがまとわりついて歩けません。ふと下を見ると、なんとびっくり！ 紺色のスカートがもう落ちる寸前。膝丈《ひざ》のスカートのはずが、まるでロングスカート状態です。私の頭の中は真っ白、顔は真っ赤。それも次第に青ざめていくのがわかります。共に歩き出した人々は、もう横断歩道を半ば過ぎ、私一人が取り残され、反対から向かってくる人々の視線は、私の下半身に集中。もう死にそう！

私はあわててコートのポケットに手を突っ込み、スカートのウエスト部分をまさぐって、ポケットの布ごと摑《つか》み上げ、そしてスカートの落下をくい止めるために、これ以上大きくできない位、めいっぱい歩幅を広げて横断歩道を何とか渡りきりました。

「おかしい！ 今日は確かにチェックのスカートをはいてきたはずなのに……？」

そう、私はスカートを二枚はいて出かけてきたのです。今朝着替える時、着ていた紺のスカートの上にチェックのスカートをはいて、それから紺のスカートを脱ぐはずだったのです。きっと何かに気を取られ、下のスカートを脱ぎかけたところで忘れてしまったのでしょう。脱いでいる途中で忘れること自体、信じられないでしょうが、私の場合は、さもありなん。お風呂場《ふろば》でお湯を浴びようと思ったら、まだ下着をつけていたという前歴もありますから。こんな醜態をさらすくらいなら、全部脱いでから着替えれば良かったのです。

　その事件以後、スカートは脱いでから着替えるようになりました。でもやっぱり全部脱いで着替えるのは、今でも恥ずかしいんです。

2 やらなきゃ、よかった。

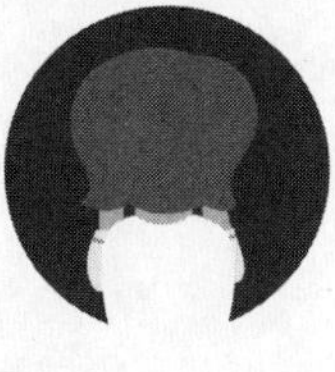

なにわ筋ひき逃げ事件

阿部真理子
（イラストレーター）

何年か前の、個展のオープニングパーティーの後、広告代理店のディレクター四人ぐらいで、二次会へ行った時のこと。

そうそう、あれは、夏だったんだ。宴もたけなわ、アイスペールに冷酒を、ダダダーッとついで、一気飲み大会になった。

アイスペールが、自分のところに、何回まわってきて、何杯飲んだか、覚えていない。

気がつくと、タクシーに乗っていて、途中気分が悪くなり、ドライバーに車を止めてもらったところまでは、定かだった。

そこから、何分、何時間たったか、わからない。見知らぬ青年二人に揺り起こされた。私が、大の字になって寝ていたところは、なにわ筋（だったと思う）という、車がビュンビュン通る主要道路だった。

朦朧《もうろう》とした頭で、青年たちに話を聞けば、路上生活者にしては、洋服も汚れていないし、額から血を流しているし、まあ、路上生活者でも、こんな道路では、寝てないだろう！　これは、きっと「ひき逃げ」であると判断して、警察にも、電話をしてくれたとのこと。

そうこうしていると、警察官登場!!　半分正気《しらふ》で、半分酩酊状態の中、「タクシードライバーに、捨てられ、おデコ切っちゃったみたいなんです！」と言うと、とりあえず、救急病院に連れて行くからと、パトカーに乗せられた。

それからなんである。なんだか、酔いが逆流したというか、パトカーに乗れたということが、とってもウレシクなって、「ワーイ！　パトカーって、犯罪者にならないと、乗れないんですよねえー、こればっかりは、お金出したって乗れるもんじゃああナイよなあ。運転手さあん！　遠まわりして、ぐるっと、ぐるっと、いつもより、よけいにまわって下さあい」なんて、たぶん言ったりしたと思う。

すわひき逃げか!!　と駆けつけたら、タチの悪い酔っぱらいだったことで、お腹わたが煮えくりかえっている警官は、「運転手さんじゃあありません！　おまわりさんと言いなさい!!」（大阪弁に翻訳して読んで下さい）と怒って、二度と口をきいてくれなかった。

救急病院に到着。ドクターにも「先生！　私、人間のクズなんです」など絶叫していたように思う。ドクターは、毎晩私のような人間のクズをここで待っているとかで、私は、クズでもスケールの極めて小さいクズであるらしい。その救急病院は、大阪ミナミのド真ん中にあって、毎晩、ヤクザの出入りや、情夫との刃傷沙汰《にんじょうざた》などで、流血の惨事の方々が運ばれる、とっても「東映映画」なところだった。

最低二週間は、通院するように言われたけれど、なさけナイのと、恥しいのとで、二度とその病院へ行かなかった。

有権者の鑑《かがみ》

五條　瑛
（作家）

自分の口から言うのもなんだが、わたしは比較的まじめな国民だ（と思う）。重大犯罪に手を染めたことはないし、今後その予定もない。自称優良納税者、道路にゴミは捨てない、道交法違反もしない。しかし、そんなのは当たり前。模範国民たるもの、単に犯罪歴がないというだけではまだまだ完璧《かんぺき》ではない。やはり選挙皆勤を目指さなきゃ——。

そう、わたしは自他共に認める選挙フリーク。政見放送の時間はテレビの前で正座して見ちゃうもンね。あんな面白い番組はそうはない。「なるほど」と思う意見よりも、「なんじゃ、それは!?」と思わせる意見が多いところも退屈しなくていい。そんなわけで、今回の選挙も大いに燃えた。

有権者の心得その一は、立候補者の顔と名前が一致すること。上級者になると、候補者の配偶者はもちろん、親兄弟、秘書、事務所スタッフ、ウグイス嬢の識別までつく。

心得その二は、公約を知っていること。どう考えても冗談としか思えないような公約も多いので、とりあえず知っておけばいいだろう。全部理解しようとすると、かなり苦しい。

今回も、候補者の演説は聞き逃すまいと誓っていた。ところが、あれほどうるさい選挙カーが、今回はなぜか一台もわたしの視界に入って来ない。買い物に行っても散歩に行っても出会わない。どうして……どうしてなの⁉　こんなに聞きたがっているのに、なぜ聞かせてくれないの。質問だって考えてるのに。

運動期間も終わりに近づいたある日、とうとうわたしは一台の選挙カーに出くわした。あっ、もう演説が終わってる。あっ、移動しちゃう。わたしは思わず叫んだ。

「待ってぇ〜。その選挙カー、待ってよ。まだ公約を聞いてないよ！　逃げる気か。正々堂々と勝負しろ！」

わたしは絶叫しながら、厚底サンダルで必死に走った。しかし、車は止まらない。ひょっとしたらこの有権者の鑑を、無視して立ち去る気なのか!? 車はどんどんスピードを上げていく。追いすがるわたしを振り切り、ついに選挙カーは逃げきった。疲れきって帰って来たわたしに追い打ちをかけるように、近所のコンビニのおばさん、新聞配達の青年、信用金庫のお姉ちゃんまでが同じ言葉を浴びせたのだ。

「あのぉ、さっき選挙カーに絡《から》んでたの五條さんですよね?」

——なんだ、見てたのか。

カレーライスの法則

小林聡美
（女優）

カレーライスを食べなかった。

これがそもそもの始まりである。

いつの頃からか、海外へでかける時は必ず成田空港の『ロイヤル』でカレーライスを食べるようになっていた。これはある種の縁起かつぎ。

「旅先で事故などありませんように」

いわゆる願かけカレーである。

ああ、どうしてあの時カレーライスを食べなかったのか。今となっては、全く魔がさしたとしか思えない。カレーライスでなく、そばを選んだ時点で、既にあの事件に巻きこまれることは決まっていたに違いない。

場所はニューヨーク。ドラマのロケーションとはいいながら、一ヶ月のニューヨーク暮らしは、若者にとって心躍るものであった。

「ニューヨークじゃ散歩する時、絶対ウォークマンだもんね」

と勝手に決め込み、両耳にはイヤホンをねじ込んで、足どりも軽くホテルを飛びだした、撮休の日の朝のことである。

その頃には、荷物を持たず、早足で歩けばニューヨーカーに見られる、という技を発見し、ひとり悦に入っていた。きっと、生まれた時から住んでるんですぅ、といった鼻持ちならないお調子者として街をうろうろしていたに違いない。忘れもしない。72丁目セントラルパーク西。ダコタ・アパートのあるところである。

「オゥ、ここでジョンが撃たれちゃったのね、ジーザス」

とニューヨーカー気取りの私は、ニューヨーカー風にしみじみしつつ、カメラを首からさげて、デイパックを背負ってる日本人観光客の傍らを、

「ニューヨークで暮らすのも楽じゃないわ」といったアンニュイな表情で通りすぎたのだった。しかし、そんなお調子に乗りまくっている私を、神様とカレ

ーライスは見逃す訳がなかったのである。

お調子に乗った即席ニューヨーカーがウォークマンのボリューム全開で、通りを隔てたセントラルパークへ渡ろうとしたその時だ。

「ドッシャーン！　ガンガラギン！」

上と下がひっくり返り、あとは何が何だかわからない。

気がつくと、私は道路の真ん中に大の字になって横たわっていたのである。

まわりは凄《すご》い人だかりだ。

「アイアムソーリー。そーりーそーりー」

黒人のお兄さんが泣きそうになって謝っている。どうやら私はお兄さんの自転車にひかれてしまったらしい。痛いよー。そして、人だかりの中には、さっき御免あそばせした日本人観光客もいる。

「小林聡美だよ、アレ」

……ハズカシー、でも痛いよー。

それ以来、海外では日本人らしく、空港ではカレーライス、と改めて胆《きも》に銘じたのだった。

透けていた

角田光代
（作家）

夕方から雷雨だ雷雨だと言われても、太陽が照りつけている昼日中は信じることがなかなかできない。つい先日も、所用があって出かけた帰り道、電車を降りたらひどいどしゃぶりだった。多くの人が、少したてばやむと思っているのか、それともすさまじい雨に圧倒されているのか、改札の屋根の下でぼんやりと立ちつくし、濁った色のおもての景色を眺めている。私も彼らの列に加わり、同様にぽかんと雨を眺めていた。

ふと、いやなことを思い出した。アパートの部屋の窓をすべて開け放して出かけてしまった。雨はますます強くなり、地面にたたきつけられる雨粒が勢いよく跳ね上がって、上下から同時に水があふれだしているようである。すべての窓からこの勢いで雨が吹きこむさまを、私は想像した。家じゅうが水浸しになり、その水がさらに階下に流れ落ちて、下の住人に多額の弁償金を支払わなければならないのではないか、と、妄想色を帯びはじめても想像はとまらず、恐怖を感じた私は意を決して、どしゃぶりの雨のなかに飛び出した。

アパートへ向かう道にひとけはなく、あまりの雨の激しさに、あたりはかすんで見えた。夢中で走りながら、ふと、妙なことに気づいた。数台の車が通っていくのだが、私のわきをすり抜ける瞬間、不自然に速度を落としていくのである。そのとき私は白い麻のワンピースを着ていたので、ああ、きっと私の白い服に泥はねがかからないよう気遣ってくれているのだ、ありがたい、と思い、ちらりと我が身を見下ろし、仰天した。白い麻のワンピースは私の体にぺったりとはりつき、完璧に透けていた。自分でも感心するほどの、見事な透け具合だった。白い服を着るときには下着の色がうつらないよう、パンツもブラジャーもシュミーズも当然白を着るのだが、それが災いし、体にまとったすべての白を通してわが裸体がくっきりと見えるのである。パンツのかたちも見えたしへそのかたちまで見えた。それ以上、どのくらい見えるのかこわくて確認できなかった。まっ裸で雨の中を歩いているのとなんらかわりはない。なるほど、私のわきで速度を落として過ぎていく車は、どしゃぶりの中の丸裸女を眺めているのだった。

しかしどうすることもできない。なるべく早く走ろうと思うが息が切れ、あきらめてとぼとぼと歩いた。あれだけ恐怖した窓は、そして私をこのような状態で走らせた窓は、しかしぴったりと閉まっていた。私は白いワンピースを脱ぎ捨てて、水をしぼってゴミ袋に放りこんだ。

自分の舌が恐《こわ》くなる

米原万里
（ロシア語会議通訳）

大学時代の女友達にずば抜けて小柄な人がいた。彼女の家を訪ねて行って道に迷い、たまたま通りかかった小学生に尋ねたら、それが当の本人だったなんて嘘《うそ》みたいな逸話があるぐらいだ。

抽象思考に優れた人で、同じ文学を対象にするにしても、私が、作家がどハンサムな場合と醜男《ぶおとこ》の場合と容貌《ようぼう》の差は作品にどう表れるかなんてことにやたらうつつを抜かしていた頃、彼女は「ドイツ文学における自然観の変遷《へんせん》」という頭がクラクラするような哲学的問題に取り組んでいた。

そんな頭脳明晰《めいせき》で小柄な彼女のそばにいると、自分が「うどの大木」に思えてしかたなかった。

服装はいつも地味で目立たないようにしていた彼女が、初夏のある日、明るいレモン色のワンピースを着て大学に現れた。軽く汗ばむほどの陽気だった。裾《すそ》が楽しそうに風にそよいでいた。

「わっ、かっわいーい！」

遠くの方から彼女を認めると、私は歓声をあげた。駆け寄って行って、

「そういう明るい色があなたは似合うのよ、その線で決まりよ！」

とか何とか随分誉《ほ》めちぎったような気がする。

ところが、その時点から十年近く経《た》って二人の共通の友人から彼女が、あの時初めて着たあのレモン色のワンピースをその後二度と身に着けなかったということを知らされた。既製服はどれも大きすぎるから、あのワンピースをふくめ衣服は全《すべ》てお母さまのお手製だったことも、その時初めて知った。しかも驚く私に、その友人は、私のせいだというのである。

「あの時『わっ、かっわいーい！　ヒヨコみたい』っていったでしょう。それで彼女は傷ついてしまったのよ」

二重のショックだった。取り返しのつかないことをしてしまったショックも

さることながら、「ヒヨコみたい」と口走った覚えが全くないのである。自分の舌が恐くなる。

つい最近も、あるパーティーで恰幅《かっぷく》のいい紳士に紹介され、「初めまして」とご挨拶《あいさつ》申し上げたら、

「いやあ、初めましてじゃありませんよ。僕は米原さんのおかげで一晩眠れぬ思いをしたことがありますよ」

と聞き捨てならぬことをおっしゃる。

「S翻訳事務所にいらしたことがあるでしょう」

「ええ、たしか三年ほど前」

「あの時、必死で翻訳をワープロに打ち込む僕の背後を通り過ぎながら米原さんは、『まあ、短い指で器用に打ってるわ』とつぶやいたんですよ！」

この台詞《せりふ》も全く記憶にないのである。

沈みゆく私

森 青花
（作家）

「荷物、持とうか」

突然、声をかけられた。

京都での学生時代のこと。その日、私は、学校近くの坂道を、本の詰まった重いかばんを肩にかけ、買ったばかりの「スチール製押入整理棚二段（組立式）」の包みを両手で引きずって、汗だくになって歩いていた。

微笑《ほほえ》んでいたのは同級生のY君。話がうまくて笑顔さわやか。クラスでもちょっと目だって素敵な彼だった。

あ、恥ずかしい。おろおろする私の手から、Y君は荷物をすっと取り、並んで歩きはじめた。話をしているうちに、私の部屋で、棚を一緒に組み立てることなった。
四本の支柱に棚板二枚をボルトで止めていく。みるみる棚が組み上がってい
く……。
新しいものを手に入れたとき、私はすごくうきうきする。しかも、Y君との
共同作業、うきうきにドライブがかかり、黒光りする「押入整理棚」が完成し
たときには、最高潮に達していた。
「できた!」
……いったい私は、何を考えてあんなことをしたのだろう。魔がさしたとし
か思えない。
「ほら、ちゃあんと、棚だよ!」
私はY君に最上の笑顔を向けながら、スチール棚の上段の棚板に、腰を下ろ
したのだ。
次の瞬間、妙な感触が伝わってきた。体が沈む。棚板がへこんでいくのだ。
私の体重に、棚板はくうっとたわみ、垂直だった四本の支柱は四本とも内側に
曲がって寄ってきた。

一瞬の出来事だった。

私は、完全にへこみきった棚板に挟まれて座っていた。その場の空気が凍りついたような妙な沈黙が、二人の間に流れた。

一拍置いてY君が、爆笑した。身も世もないほど、笑いころげた。最後には涙まで流して。合わせて私も笑った。笑いながら、穴があったら入りたい、入りたい、と思い続けた。

その後、Y君とは、なんとなく疎遠になった。卒業してからは会うこともない。

「スチール製押入整理棚二段（組立式）」は、けれども今も、押入の下段に入っている。ゆがんだ棚板を何とかもとに戻し、帽子やマフラーなどを置いている。

棚を目にするたび、「沈みゆく私」（ああ、どんな顔をしてたんだろ）の姿をまぶたに焼き付けている人間が、この世のどこかに一人いるのだと思う。うう、たまらなく、恥ずかしい。

創作沖縄民謡の青春

山本文緒
（作家）

誰にでも青春の過《あやま》ちというものがあるが、私にとってのそれは高校時代のクラブ活動である。なるべく言わないようにしているのだが、正面切って聞かれると、私は仕方なく口を開く。軽音楽部みたいなのに入ってバンドを組んでたのと。

ほうっと大抵の人は感心してくれる。そしてどんな音楽やってたのと聞く。うん、あの、オリジナルをやってたの。私が詞を書いて、友達がそれに曲をつけて、女の子三人でそれを歌うわけ。それを聞いた人々はまた「ほほう」と感心の声を上げてくれるが、私は後ろ暗さから、さりげなく話題を変えてしまう。

嘘はひとつも言っていないが、その話は真実を伝えてはいない。

実は、私が入っていたクラブの名前は、フォークソング部である。もう一度言いましょう、フォークソング。アルペジオでフォークギターを爪弾《つまび》いて『なごり雪』あるいは『神田川』などを歌っていたフォークソング部の友人達。

当時私は、それがちょっと恥ずかしかったのだ。まだちゃんとした恋愛もしたことのない高校生のガキが大勢で、同棲《どうせい》の哀《かな》しみなんか歌っても滑稽《こっけい》だなと思っていた。そこで私と親友のユミちゃんは、自分達で自分達の歌を作ろうと立ち上がった。

志は立派である。けれど、できた歌は『ソ連風邪の唄《うた》』だの『ドンドン商店街音頭《おんど》』だのそういうタイトルだった。そんな歌詞を書く私も私だが〝富山の薬も効きやせぬ、ソ、ソ、ソ連のインフルエンザ〟なんて詞に、徹夜で曲をつけるユミちゃんもユミちゃんである。

そして私達のバンドの名前が「えてらはいはい」だった。ピーチパイ、シーガルズ、なんてバンド名の中に私達だけ、えてらはいはい。付けたのは、当時沖縄民謡に凝っていたユミちゃんである。めちゃくちゃな創作沖縄民謡を作詞作曲したユミちゃんは、私ともうひとりの女の子に、えてらはいはい、はいそけちゃへちゃ、ほっほ、ほっほ、ほっほ、という変な歌をこれまた奇異な振付と共に歌わせたのである。

当時はあまり恥ずかしくなかったのだが、先日クラス会で、元同級生から大真面目《まじめ》な顔で「あれはいったいどういうつもりだったの？」と聞かれた時は、死ぬほどこっぱずかしかった。流行《はや》っていたフォークソングを素直に歌っていた方がまだ恥ずかしくなかったかもしれない。

そして大人になったユミちゃんは、結婚式の披露宴の時「高校時代はロックバンドを結成し活躍していた」と仲人《なこうど》さんに経歴を読ませていた。よっぽど創作沖縄民謡を歌ってやろうかと思ったが、恥をかくのは私なので許してやりました。

四本足で歩いた原宿

坂東眞砂子
（作家）

子供の頃から、ずぼらな子だといわれてきた。小学校の時はほとんど髪の毛を梳《と》かしたことはなく、頭は「雀《すずめ》の巣」だったし、学校の制服のプリーツスカートの折りは滅多とつけなかったから「フレアーマン」とあだ名されていた。

新学期、きれいに髪をカットして高校に通学していたら、市内を走る路面電車の窓に、中学時代の同級生の男の子たちの顔が鈴なりになった。やけにじろじろと見ていたのは、サラサラ髪の私がよほど珍しかったのだろう。

本人としては、単におしゃれに興味がなかったに過ぎないのだが、傍目《はため》には異常にも思えたらしく、大学の進路相談の時、母が担任教師のところに行き、進路のことそっちのけで「あの娘は、どうやったら、きれいになりますやろう」と聞いたという(同級生より洩《も》れ聞いたその話を、後日、母に確かめたら、しきりに否定していたが)。

「それでも女か」という言葉は、さんざん聞かされてきたし、おしゃれに関するたいがいの失態には動じないほど居直ってもいるが、その私でも、さすがにあれはひどかったな、という思い出がある。

それは、私がフリーライターとして働いていた頃のことだ。店の紹介記事を某雑誌に書くために、原宿に行くことになった。いくら、ずぼらの私でも、出向く場所が流行のブティックとなると、少しは服装に気をつける。当時、気にいっていた青いパンツスーツに身を固めて取材に行った。

二日目のことである。二軒目の店に行く途中、若者で賑《にぎ》わう竹下通りの雑踏の中で、カメラマンが困惑したように言った。

「坂東さん、足からもう一本、何か出てるよ」

はたと見ると、ズボンの裾《すそ》から、どろんとした舌のようなものが出ている。半透明のものが、両足の踵《かかと》のところで、ぶらぶらしているのだ。

何だろうと不思議に思いながら、ちょっと引っ張ってみた。ずず、と出てきたのはストッキング。

とたんに、昨日のことが頭を過《よぎ》った。昨夜は、ストッキングごと、すっぽりとズボンを脱いで、蒲団《ふとん》に入ったのだ。そして今朝、新しいストッキングを履いて、同じズボンを穿《は》いた……。

つまり、それは昨日のストッキングだったのだ。

慌《あわ》てて物陰に走って、中のストッキングを引き抜いた。カメラマンにげらげらと笑われたのはいうまでもない。

ファッションの街、原宿で、そんな醜態を晒《さら》してしまったことが我ながら恥ずかしく、以来、ズボンを穿く前には、中を覗《のぞ》くようになった。

長崎・二日酔い講演事件

小池真理子
（作家）

本人はそう思っていないのだが、私はかなりボケた人間であるらしい。

首筋にピップエレキバンをべたべた貼《は》っているのを忘れて電車に乗ったことは数知れず。出版社に勤めていたころ、後ろ頭にカーラーを一つ巻いたまま、はずし忘れて、そのまま出社したこともあったが、こんなのは序の口と言えるだろう。

私には、両手にそれぞれ一つずつ二つの荷物を持っていると、三つ目の荷物を忘れてくるという癖がある。右手に傘、左手に書類を持ったまま電話ボックスを出て、あとでハンドバッグがないことに気づき、大騒ぎになったこともあった。

そういう人間であるからして、編集者時代、電車の網棚に作家センセイの生原稿をそっくりそのまま置き忘れるという大事件を起こしかねなかったのだが、運よく、それだけは一度もなかった。代わりに私は、物書きになりたてのころ、編集者に手渡す自分の直筆原稿（百枚ほど）を電車の網棚に置き忘れた。ワープロがなかった時代の話だ。届けてくれた人がいたからいいが、出てこなかったらどうしていただろう、と今でもあの時のことを夢に見てうなされる。

こうした数々の恥さらしの中でも、ピカ一と思えるのは、「長崎・二日酔い講演事件」であろう。十五、六年前の話だ。長崎県の某団体から講演の依頼を受け、私は前の日の夕方に長崎入りして、その晩は主催者たちと食事をした。キビナゴという魚を初めて口にしたのがその時である。日本酒に見事に調和する味だったことは確かだ。おいしい、おいしい、を連発すると、主催者側の人たちも気をよくしてくれたのだろう。それ飲め、やれ食え、という感じになり、宴は深夜に及んだ。

さて、翌朝である。起きた途端、猛烈な二日酔い。上半身を起こしただけで、ぐらぐら天井が回り、おえっ、と前夜のキビナゴがこみあげる。講演開始は十時から。いまさらキャンセルするわけにもいかず、第一、若い女の二日酔いだなんて、理由にもならない。

頭痛と吐き気をこらえつつ、私は決死の覚悟で会場におもむいた。新築の劇場を思わせる巨大な会場には、三百名を越す聴衆が、赤いベルベットの座席に行儀よく座って、講演開始を今か今かと待っていた。この人たちは皆、自分の話を聴くために来ているんだ、と思った途端、余計に気持ちが悪くなった。

何を喋《しゃべ》ったのか、記憶にない。一時間半というもの、私は脂汗《あぶらあせ》を流しながら演壇にしがみつき（椅子《いす》が用意されていなかったのだ）、吐き気と戦い、ここでマイクに向かって吐いたら一生の恥だと自分に言い聞かせ、吐いてしまったらどうしよう、とおびえ続けた。

後になって主催者から当日の写真が送られてきた。当たり前だが、私は完全に二日酔いのヒトの顔をしていた。以後、長崎には行っていない。

ワイルド氏との連れ○○○

村山由佳
（作家）

九六年の夏、小説の取材のために、三十七日間かけてアメリカを車で横断した。

書こうとしていたストーリーの軸は、心に深いトラウマをかかえて日本を飛び出した女性と、やがてアリゾナの大地で出会うネイティヴ・アメリカンの男性との魂のぶつかり合い……となる予定だったので、私自身も、旅の大半をアリゾナ州の居留地で過ごした。これは、その時のできごとである。

私たちはその夜、そそりたつ岩山に囲まれた谷底でキャンプをしていた。私の他に、通訳の女性とカメラマン氏、それにレインジャーの青年。彼は生粋《きっすい》のナヴァホ族で、嬉《うれ》し恥ずかし、じつに私好みのワイルド系美丈夫である。

夜も更けゆき、それぞれが自分のテントに分かれてしばらくたった頃。昼間暑さに負けて水分をとりすぎたせいだろうか、私はどうにも我慢できなくなって、再び外に這《は》い出した。月はほぼ満月。どこか遠くから、嘲《あざけ》り笑うようなコヨーテの声が聞こえる。二百メートルほど向こうで、電話ボックス大の簡易トイレ小屋が月明かりに照らされている。夕方入った時など、先客の皆様の落とし物の山に、鼻が曲がりそうだった。当然電気なんか来ていないから、中は外より真っ暗なはずだ。うっかり穴にでも落ちたら目もあてられない。

私は、他の人たちを起こさないように忍び足でそこを離れ、小川のほうへ向かった。水分の豊富なそのあたりには、あちこちに低い灌木《かんぼく》がはえているのだ。具合のいい茂みを見つけるのにしばらくうろうろし、ようやく無事に用をすませてジーンズを上げかけた時だった。少し離れた木の陰で、なんと、例のワイルド氏が同じく用を足しているのが見えた。

慌《あわ》ててもう一度しゃがんで隠れようとした、そのとたん、突然後ろでバシャッと水音が響き、私は「ひっ」と声を上げてしまった。何のことはない、音の主はダムを建設中のビーバーだったのだが、時すでに遅し。ワイルド氏は私に気づいた後だった。

目は合わせているものの、相手に私の首から下が(特に腰から下が)見えているかどうかはわからない。が、少なくとも、何をしていたかは一目瞭然《りょうぜん》である。一気に耳までカーッと熱くなっていく。

月明かりにも、私の弱りきった顔が見えたのだろうか。数瞬の後、彼はニッと歯をむき出すようにして笑うと、万国の男性に共通のあの仕草でジッパーを上げながら、低い声で、「すごい月だな」と言った。「じゃ、ごゆっくり」

……結局、後に書きあげた小説『翼』に登場するナヴァホ青年〈鷲の心臓《イーグル・ハート》〉は、意図したわけでもないのに、もろに彼のイメージになってしまった。我ながら、なかなか色気のある男に書けたと思う。

そのことに、あの夜私の感じた恥ずかしさが力を貸しているのは、どうやら間違いなさそうだ。

勿忘草《わすれなぐさ》のパンティ

冨士眞奈美
（女優）

この際思い返してみるとまことに恥多き人生で、ひとつひとつを論《あげつら》って己を責めれば、恥ずかしくて生きちゃいられない。ところがよくしたもので、性格が四捨五入的明日は明日の風が吹く的に大雑把《おおざっぱ》なので、なにが恥ずかしかったのか、なにを悩んでいたのか、すぐに忘れてしまう。自分に都合のいい性格は生まれつき及び無意識の鍛練のたまものだろうか、とにかくありがたいことである。

私、近頃なにか恥ずかしいことしたかしら？　夕食の時、娘に訊《き》いてみる。

あちらはまだ若いから、なんだって可笑《おか》しいしなんだって恥ずかしいのである。

うーん、と少し思案して急に笑い出した。箸《はし》を持ったまま暫《しばら》く笑ってから、あれがいちばん恥ずかしかったわよ、とまた笑う。

わたしがもう穿《は》かないっていったパンティをアナタ、あらこれ私のいちばんのお気に入りよ、あなた穿かないんならあたし穿く、ってひったくったじゃない!?　この勿忘草のような薄紫の小花が可愛《かわい》いのよって。わたしの古パンティを撫《な》でて変な声出して歌唄《うた》ってたわよ、〽別れても別れても心の奥にィ～とかって。それでもってその場で自分のレースのを脱いで、少し色褪《いろあ》せたその勿忘草の古パンティと穿き替えちゃったのよ。

えェ？　そんなことあったっけ？　と私はやっぱり憶《おぼ》えていない。

ヤダ忘れちゃったの？　その時アナタこう言ったのよ、もう誰に見せるってもんでもなし自分の気に入ったものがいちばんッ、って。でも一応女優だから、交通事故には気をつけよう、なんて一帳羅のお洋服着てどこかのパーティへ行ったんじゃない。そこでアナタ鰭酒《ひれざけ》たくさん呑《の》んで、ククッ、家に帰って伊藤みどりのマネして板の間で滑って転んで足首折っちゃったのよ、と娘はまた笑う。

足首折ったのはもちろん忘れやしない。あんな痛い目にあって忘れられるもんじゃない。手術をし、一ヶ月近くも入院したのだ。でもそれがどうしたっていうのよ？

ヤダヤダ憶えてないの!?　夜中の二時に救急車で病院へ担《かつ》ぎ込まれて、ギプスはめられながら痛い痛いって呻《うめ》くから、痛み止めの坐薬《ざやく》お尻《しり》に打たれたんじゃない！　その時、お医者様から看護婦さん、救急隊員の皆々様、付添いのお隣りの山口夫妻、全部の人に、わたしの古パンティ見られちゃったのよ！　捨てたその日に他人に見られるなんてアナタのせいよ、ほんと恥ずかしかった。

私だって恥ずかしい。すぐ忘れよう。

私は酔っていない

藤田千恵子
（ライター）

ある。あるある。恥ずかしいことなら全部まとめて月に投げたいほどあるけれども、酒の席での恥ずかしい経験というのは、人が期待するほどには持っていない。というのは、昔、私は飲んでも酔わない質《たち》だったので、周囲の酔態を最後まで見届けるのが常、いつもは権威主義のオジサンが酔うにつれ、権威どころか人間の尊厳までも捨てて、煙草《たばこ》の火をジューッとお刺身で消したり（灰皿だと思ったらしい）、酔って転んだままイカの塩辛を手摑《てづか》みで食べようとしたり、スタイリッシュなバーに案内してくれた人が意識を失ってスツールから落ちたり、カウンターにおせんべ撒《ま》いたり、まだまだあるけど、まあとにかく、そんなこんなを見るにつけ「あそこまで、壊れることはできない」と強く思っていたからだ。

しかも、すごいなあ、と思うのは、当日よりも翌日だ。そういう人に限って自分の狼藉《ろうぜき》はなんにも覚えていない。それで「また飲もうね」なんて言う。本人が忘れてしまったことというのは、起こらなかったこと、なのだ。それって、正しい気もするけど。

それにひきかえ、「何も覚えていない」という感覚が持てない私は「ゲロを吐かぬようにしよう」という緊張感が消えない。私は、肝臓は強いのに胃が弱い。頭では「まだまだ飲める」と思っているのに、酔うより先に吐き気がくる。今でこそ、酒は少量で十分という枯れた年増になれたが、「酒なら強い」と得意になっていたバカ者の頃は、冷静な頭のまま、ゲロを吐く自分を見つめるという、ひっじょーっに虚《むな》しいことを繰り返してきた。

ある時は、神楽坂《かぐらざか》、飯田橋、九段下、竹橋と、地下鉄マニアでもないのに二分おきに電車から下りては駅のトイレに頭を突っ込んで次々と吐いた。それなら一ヶ所でのびてればいいものを、なまじ冷静なので「門限までに帰らなければ」などと思って電車に乗るのである。

それから私は、足腰も弱い。約八時間飲み続けた酒蔵からの帰り道、みやげにいただいた日本酒を持ったまま、駅で立てなくなったことがあった。「割るまい」と冷静な頭で考え、卵を温める親鳥のように一升ビンを両腕で抱いて座り込んでいると、うわっ、やだ、二人連れの酔っ払いが千鳥足でやってきた。からまれるのかな、コワイな。冷静なだけに恐怖を感じていると、酔っ払い二人は、ゲラゲラ笑って私を指差し、こう言った。「がはは、酔っ払いが一升ビン持って、座り込んでらあ」

通行人もみんな笑っていた。私は酔っていない。だから覚えている。だから恥ずかしい。

3　なんという　カンチガイ！

処女なのに……

室井佑月
（作家）

中学の頃、突然、あそこが痒《かゆ》くてたまらなくなった。どのぐらい痒いかというと、膝小僧をまるく擦りむいて、しばらくして瘡蓋《かさぶた》になって、そこに黒いやぶ蚊が三匹とまり、蚊の上から朝食のとろろ汁をこぼしてしまったぐらいだ。

なぜ、こんなことになってしまったのか。当時つき合っていた彼氏（社会人）の家で、よく風呂《ふろ》に入っていた。そのあとパンツも借りた。それ以外に考えられることはなにひとつなかった。あたしは処女だったし。実は、つき合っていると思っていたのはあたしだけで、一方的に彼に惚《ほ》れ、学校帰りに人のいい彼のマンションに押しかけていただけのことだった。

誰かに相談したかったが、彼は昨日から出張でいない。親にも友達にも話しづらい。病院へ、と思い首を振った。医者とはいえ、彼よりも先にあそこを見せていいものだろうか。

本屋から『家庭の医学』を買ってきた。たくさんの病名が載っていた。読めば読むほど、どれも違うようにも当てはまるようにも思えた。本には下着の染《し》みの色に注意せよ、と書いてあった。自室でパンツを脱ぎ、まじまじと眺めてみたがよくわからなかった。あとは匂《にお》いを調べろ、とも書いてあった。パンツの匂いを嗅《か》いでみた。それから、あそこと顔が近づくヨガのポーズもとってみた。これもいまいちよくわからなかった。もっとダイレクトに患部の匂いを嗅ぐ方法はないものだろうか。あたしは考えに考えて洗濯機に取りつけるホースを電気店から買ってきた。患部に押し当てて匂いを嗅ぐのである。しかし、失敗。ホースの材料のプラスチックの匂いしかしなかった。

彼氏が出張から戻る日、あたしは彼の家の前で待ち伏せをした。顔を見たとたん怒鳴った。「あんたのせいだから。あたしは処女なのにもう汚れている」泣きながら訴えるあたしを、彼は部屋に招きいれた。ことの次第を報告した。彼は事実無根だといって、翌日一緒に病院にいくことになった。いくつかの検査を受けた。医者はあたしにいった。

「強い石鹸《せっけん》で、ごしごし擦《こす》ってはいませんか？」

ただの石鹸かぶれだったようだ。そういえばいつ彼に押し倒されてもいいように、殺菌効果のある石鹸を持参して、力任せに大事な部分を磨いていた。

彼にも謝ったし、よかったなんでもなくて、とひと安心。鼻歌を歌いながら帰宅した。玄関で靴を脱いでいると、二階から降りてくる母にばったり会った。母はいった。「あんたの部屋に落ちてたけど、これなあに？」母は片手に掃除機、そして片手にはあの洗濯機のホースをぶらさげていた。

サラシを巻いて

白石公子
（詩人）

　ある時期、体調が悪い日々が続いたのだった。かったりぃのは子供のころからでわけもなく毎日くたびれていたが、さすがに年をとると心配になってきた。そうこうしているうちに右胸に不気味なこわばりを感じるようになったのである。寝入ったかと思った瞬間、どっきーんと全身が脈打って目覚めることもしばしば。病院に行き、二十四時間の心電図モニターで検査してみたところ、確かに不整脈はあるが、それほど心配するほどのものではない、と言われて帰ってきた。
　しかし私は「心配するほどのものではない」という言葉よりも「確かに不整脈はある」という事実のほうを、全身全霊で受け止めてしまったのだった。するともう、不整脈が気になってしょうがない。歩いていても不意に、どっきーん、と脈が飛んだ（と思った）瞬間、くらーっとふらついてしまうようになってしまったのである。

こうなると、まともに生活することができない。私は大きな病院で徹底的に調べてもらうことを決心した。検査は二日がかりで行われた。血液検査、レントゲン、二十四時間心電図モニターや超音波検査などなど。そして最後は運動負荷の心電図検査だ。これはランニングマシーンで走りながら、血圧や心電図を調べるというものだ。

当日、検査の前に上半身裸になって例の心電図の電極をはりつけたまではいいが、その上から白いサラシを巻かれたのである。そして右腕には血圧測定の布。そのうえにトレーナーかなにかはおるのだろうか、と思ったら、

「ではそのままゆっくり走ってもらいます」

という。カーテンで仕切られた部屋で、私は上半身裸にサラシを巻いただけの姿で、恥ずかしいような勇ましいような姿で、ランニングをはじめたのだった。心電図と血圧のモニターの前には検査技師の人が監視している。

「はい、少し速くなりますよ。大丈夫ですか」

検査だからたいしたことはないだろう、と思っていたのだが、どんどんレベルが上がっていくではないか。最後には汗をぐっしょりかいてしまうほどの疾走。

「はい、いいです。いやー、ずいぶん走りましたね」

どうやら私は、最終レベルまで、まじめに走りこんだらしい。

「えっと、確か不整脈でしたよね」と確認され、ひと汗かいたすがすがしい顔で、息を弾ませている姿が恥ずかしかった。

親子揃《そろ》って

高橋洋子
（作家）

急に親孝行しようと思い立った。私が二十二、三のころである。

女優としてのデビューは十九歳。幸いにも仕事に恵まれ、二十そこそこには、いっぱし稼げるようになっていた。

そうした金銭的な裏付けか、あるいは父と別居中の母を労《いたわ》ってか、ある日母がポカンとした顔で、

「どっか旅行でも行きたいわ」

と言った時、すぐさま、行こ、行こ、とせき立てたのだった。

行く先は京都。太秦《うずまさ》の撮影所に通っていたので、そのついでにもなる。母は、「京都なんて女学生以来行ったことないわ」と目を輝かせていた。

撮影の終わる日に合わせて、母がホテルへやって来た。うれしそうだが、どこかモジモジしている。

「こういうホテルに泊まることもないし」

部屋を見回し、ベッドの隅っこにちょこんと座る。母としてみれば、十数年ぶりの旅で、緊張しているのである。長いこと祖母と母と私の女三人暮らし。パアッとしたかった気分は充分わかるし、明日からそれが可能なのだ。

「まず、どこへ行こうか」

私は地図をひろげ、計画を練った。

知恩院、八坂神社、清水寺と、おもな寺巡り。銀閣寺前のうどん屋「おめん」で、うどんを啜《すす》った。「六盛」の手桶《ておけ》弁当も食した。

ガイドとしての私は、フル回転である。母はそのつど感嘆の声をもらし、目を細める。にわかガイドも悪い気はしない。

帰りの日に、二条城へ寄った時、よせばいいのにこのガイド、解説を始めたのだった。

大政奉還の間の前で、少し変だなと思ったものの、喋《しゃべ》り出したら止まらなくなった。

「二条城は豊臣秀吉が建てた城でね、この庭で茶会もひらかれたの。金の茶室は有名でしょう。多分この先にあると思うけど、もしかしたら、他へ移されてるかもしれないし……」

その夜、家へ帰ると、母はうれしそうに、京都のことを祖母に告げている。私は隣の部屋で、まんざらでもない気分。

「二条城ではね、洋子が解説までしてくれたのよ。豊臣秀吉の建てた城で……」

「はあ……たしか二条城は徳川じゃなかったかなあ」

祖母の言葉に、私ははたと気がついた。そうだったあ、である。恥ずかしさがこみ上げてきた。

よりによって大政奉還の間の前で、知ったかぶりをするなんて。母も母で、それにいちいち頷《うなず》いていただなんて。親子揃って……。周りに観光客いっぱいいたっけ。

痴漢通りのイイ女

小沢瑞穂
（翻訳家）

その夜も気分よく飲んでいた。

東中野の駅のそばの「P」というバーで、サイドカーにマンハッタン、最後はマスターお得意のマティーニというカクテル・フルコース。それぞれベースが違うこの三つのカクテルを飲むとき、私はいつもよりちょっぴり気取り屋になる。「イイ女が一人でバーで飲む図」を地でいこうとすると煙草《たばこ》の吸い方にもリキが入るものだ。

常連客とのおしゃべりを楽しんで、いつものように夜中の二時ごろ「P」を出た。歩きである。普通は駅まで自転車で行くのだが、飲んでふらふら乗った自転車がタクシーにはねられて奇跡的に二週間の打撲傷で生還して以来、飲むときは歩きと決めている。

家までは歩いて八分の距離だが、曲がり角が十三もあるうえに「痴漢通り」と呼ばれるゆるい坂道を通らないと帰れない。

外は小雨。バーで借りた傘をさしてスタスタと歩いていた。イイ女はカクテルを飲んだあとヨロヨロ歩いてはいけないのだ。なのになぜ傘が道の片側の塀にこすれるんだろうと思いながら痴漢通りに曲がったとき、誰かがつけてきたことに気づいた。そんな時間、住宅地の坂道を歩く人はほとんどいない。

傘の下からそっと後ろをうかがうと、男の下半身が見えた。こ太りの中年男、ジャージにサンダル履き。

私は歩調を早めた。小娘じゃあるまいし駆け出すことはない、イイ女がすたる。でも、どうして足がもつれるの。

ペタペタ。サンダルの足音がしつこく追ってくる。ひょっとしたら警察から注意があった露出趣味のオヤジ！　いざとなったら傘を武器にしよう。

もつれる足で懸命に早く歩いたが、後ろの足音との距離は開かない。ジャージのオヤジ、ふだんからジョギングでもしているのかヤケに足が早いのだ。

坂道の角を曲がってホッとしたとき、後ろの足音も曲がった。二つめの角を曲がってもまだついてくる。もうだめ、コワイ！

血走った目で見回すと、一軒の家の門が開いている。生け垣から玄関まで十メートル。夢中で生け垣の奥に走り込んだ。と、後ろのオヤジも入ってくるではないか。異常にしつこい変態だ！　私は恥も外聞もなく見知らぬ家の玄関をドンドン叩《たた》き、中からヌッと顔を出したパジャマ姿の中年女性に叫んだ、「助けて、痴漢！」そのとき背後に迫ったオヤジが、しゃがれ声で言った。

「あのう、ここは私の家ですが……」

申し分ございません

黛《まゆずみ》まどか
（俳人）

どこでどう聞き違えたのか、何故《なぜ》そう記憶することになったのか、とにかく私には間違えて覚え込んでしまった言葉が結構ある。

まずは歌詞編。〝赤い靴はいてた女の子、異人さんにつれられて……〟の〝異人さん〟を、私はずっと〝いいいさん〟だと思っていた。高校一年の春の遠足の折、上野公園を歩いていた私は、すっかりよい気分になって唄《うた》いだした。〝♪赤い靴……〟「アンタ！　今、何て言ったァ？」もう後の祭り。とは言え大声で私の誤りを指摘したその子も、実はついこの間まで〝ひいじいさん〟だと思っていたというのだから、似たようなものだが。

次は外来語編。我家は代々外来語に弱い。とり分けひどいのが父。「サンローラン」を「ローランサン」なんて、間違いのうちには入らない。何しろ「コレクトコール」は「コレクトロール」、「チェッカーズ」は「ステッカーズ」といった具合。

かく言う私も、父のことは笑えない。先日、同じ齢《とし》の従姉妹《いとこ》に尋ねられた。「ねェねェ、夏に砂浜で拡《ひろ》げるヤツのこと何て言う?」私はためらうことなく答えた。「ピーチパラソル!」「あ〜、やっぱり」彼女はお腹《なか》を抱えて笑い出した。「ピーチじゃなくてビーチだって」なるほど、ピーチじゃ〝桃〟だものね……。聞けば我が一族は、判で押したように「ピーチパラソル」と答えるらしい。亡《な》き祖母が言い出しっぺで、以来代々誰も疑うことなく受け継がれてきたらしい。そう言えば、いつか会社の同僚と海へ行く相談をしていた時「誰がピーチパラソル持ってく?」の私の一言に、一同し〜んと静まり返ったことがあった。どーしてその時言ってくれなかったの? ちなみに「ピーチパラソル」の生みの親である祖母は「ピザパイ」を「キザパイ」、「ハンサム」を「ハムサ」と、何喰《なにく》わぬ顔で言っていた人だ。

最後は漢字編。これはもうキリなくある。ある日のこと、「何これ?」宛名《あてな》不明で戻ってきた私の葉書を見るなり、母が叫んだ。〃先日は大変ご馳走《ちそう》になり、申し分ございませんでした〃。取引先のお客様への礼状である。〃申し訳ない〃の〃訳《わけ》〃を〃分《わけ》〃とずっと勘違いしていたのだ。私は眼の前がまっ暗になった。ああ、あの先生にも、華道の家元にも、会社の上司にも、とても思い出し切れない程の人々へ、私は〃申し分ございません〃と書きつづけてきたのだ……。どーして誰も教えてくれなかったの？

私の父祖伝来の思い込みの激しさは、周囲の遠慮深くて心やさしい人たちの中で、いっそう増幅されているようだ。

ターザン

益田ミリ
（イラストレーター）

正月休みに、大阪の実家へ帰ったときのこと。わたしが、正月番組をコタツに入ってゴロゴロと見ていたら、

「ちょっと大阪にでも行かへん？」

と母が声をかけてきた。

うちの実家は、大阪と言っても田舎のほう。デパートなどで賑《にぎ》わう梅田や難波は、別世界の大都会なのである。わたしたちは大阪に住んでいながら、大阪に行くという表現を使うのだ。

「いいけど、買い物でもするん？」

わたしも、どこかに出かけようかなと思っていたところである。

「お母さんな、サーカス行きたいねん」

サーカス……。思ってもいない場所が出てきた。そう言えば、ずいぶんそんなところに足を運んでないな。

しかし、サーカスなんてものは、年中やっているわけでもない。正月はどうなんだろう。

「サーカスって、大阪のどこでやってんの？」

「えっ、どこでもやってるやろ。今、流行《はや》ってるみたいやし」

流行ってる……。サーカス、流行ってるのか。知らなかった。大阪はそうなのか。

「サーカスな、泣くらしいよ。ホンマ」

泣く……。母が見たがっているのは、一体、どんなサーカスなんだろう。

「ゴリラが育てるんやろ、サーカスは」

ここまできて、わたしはハッとした。母が完璧《かんぺき》に覚え違いをしていることに気がついたのだ。彼女の言うサーカスとは、映画の「ターザン」のことであろう。

「お母さんっ！　それ、ターザンやってば！」

ディズニーさんも、ひっくり返るような間違いである。

母はこういうはずかしい間違いを、日々くりかえして生きている。

年末に紅白歌合戦を見ていた時も、母は嘘《うそ》のような覚え違いを披露して、わたしと妹を凍らせていた。

紅白でスマップが歌うのを、わたしは密《ひそ》かに楽しみにしていた。しかし、夕食のビールのせいでウトウトしてしまい、目が覚めたときには、スマップの出番は終わっていた。わたしは母に聞いた。

「スマップどうやった？」

「うん、キムタク、かっこ良かったよ」

ここまでは普通である。この後である。

「あれも、すごかったよ、野うさぎ」

野うさぎ……。なんやそれ。

「ほらほら、とんねるずの……」

ひょっとして野猿《やえん》?!　「やえん」を「のざる」と言うのなら、わかる。しかし、母の場合は、「や」とか「の」の次元ではない。動物の種類がすでに間違っているのだ。

わたしにもこのはずかしい血が半分流れていると思うと、将来が楽しみでたまらないのである。

外見と違う

杉本　彩
（女優）

私は、外見と中身がかなり違う。外見からだと、スポーツカーを乗りこなして一人でどこにでも行きそうな、活発な女に見えるらしい。もっと言えば、何ごとも的確にやりこなせそうで、ミスの少ない人間に見られがちなのだが、実際はとんでもない大ボケ女だ。どれから書こうか迷うくらい、恥ずかしい話は沢山ある。

私も十八歳になった時は、人並みに、自動車の教習所に通い始めた。たいして車に興味もないのに、「十八歳になったんだから免許を取らなきゃ」、そんな思い込みもあった。時間もお金も相当使ったのに、結局、期限切れで免許は取れなかった。どうにも、運転や車の仕組が理解できないのだ。いまだに車にはかなり疎《うと》い。おまけに重症の方向音痴だ。

仕事が終わって、あーやれやれと、他人の車に乗りこんでしまったことなど何度となくある。ふと運転席を見ると、見ず知らずの人がビックリしてこちらを見ているので気づく。もっとヒドイ時は、「なんか車内の雰囲気が違うなあ」と思いながら、ずーっと居座り続けたこともあった。それは他のタレントさんの移動車だったのだが、車種が同じで全く区別がつかなかった。実を言えば、色の違いと、ワンボックスかそうでないか、この二つでしか車を見分けられない。あとは、BMWかベンツか、そのくらいしかわからない。

方向音痴も治らない。テレビ局のスタジオでも、トイレに行くと、もう戻るべき自分の控え室がわからなくなって迷ってしまう。ファミリーレストランで、出口がわからなくなったこともある。そのくせ、誰よりも先頭を歩いているので、後ろから呼び止められて、引き返すことも度々。

この間はブティックで、やっと気に入ったドレスが見つかったので試着して、店内の鏡に全身を映し、満足して試着室へ戻ろうと扉を開けたつもりが、トイレの扉だった。店の人たちに囲まれて、「ほんとによくお似合い。ステキですよ」と誉《ほ》めちぎられた直後、その視線を背中に感じていただけに、余計に恥ずかしかった。

こんなふうに大ボケの連続の毎日で、人は外見からは想像もできないような一面を持っているという、いい実例の私です。

最後に、これを告白するのはちょっと恥ずかしいのですが、外見とは違う、という点をもう一つ挙げておくと、一見、男をハイヒールで踏みつけるのが好きそうな私ですが、実は、ベッドの中では、いじめられるのが好きなんです。

ミーハー女が調子に乗れば

蜂谷　涼
（作家）

拙著『海明け』（講談社刊）では、刊行前年の平成十二年に、隅田川の永代《えいたい》橋《ばし》などとともに推奨土木遺産として顕彰された、小樽《おたる》の防波堤が、ある意味では主役となっている。今でも現役として活躍しているその防波堤が起工されたのは、明治三十年。建築や土木工学に何の知識もない私が当時の港湾工事のことを書こうというのだから、資料を読みあさるだけでは、おのずと限界は見えていた。そこで多大な協力をしてくださったのが、北海道開発局小樽開発建設部の方々だ。中でも港湾建設事務所のＳ所長は、おバカな質問を連発する私に辛抱強く防波堤建設のイロハを教えてくれたばかりか、貴重な作業も見せてくれたのだった。

先日、取材を通してのそんなご縁から、私はケーソンの進水式に招かれた。ケーソンとは、防波堤に使用されるタテ・ヨコともに約十二メートル、高さ約八メートルのコンクリートの箱である。それを進水するにあたってロープカットをしてくれとの、S所長直々《じきじき》のご依頼だった。百年前とほぼ同じように行われる式で、畏《かしこ》きあたりの御方のごとく白手袋をはめ、金の鋏《はさみ》を持つことになる大役だ。全国ネットとはいかないまでも、ローカルニュースにはバッチリ映るだろう。

さあ、大変！

受諾の電話を切るなり、私はデパートへとダッシュした。テーマはズバリ、大人のマリンルック。真っ白なストレッチ・パンツと淡いブルーのジャケット。さわやかさを演出する白地に紺のボーダーのシャツに、ブルーのエナメルが清々《すがすが》しい中ヒールの靴。しめてン万円は、経費として認められるはずもない痛い出費だけれど、カメラ映りはバッチリのはず。

何しろ私は、『スター誕生！』こそ地方予選で最終審査落ちしたものの、萩原健一サンのドラマにはエキストラとして使ってもらったし、ちょい役ながらコカ・コーラのCMではちゃんとオーディションに受かって出演したという、輝かしい経歴（？）の持ち主なのだ（ちなみに、このCMは鶴田真由サンのデビュー作です）。

しかし、当日現場に到着した私を待っていたのは、スニーカーとヘルメット。足場の悪さを考えて、哀れ、おニューの靴は車で待機となり、しっかりブローを決めた髪はヘルメットの餌食《えじき》となった。おまけに、どこをどう見回しても、TVカメラなど一台もない。進水台は海に張り出すステージのようだというのに、私を取り囲んでいるのは、作業服姿のいかついオジサンばかり。かくて白手袋をはめた私は、金の鋏ならぬ金づちを持たされ、ロープを切るための楔《くさび》にそれを思い切り振り下ろしたのであった。

わたしの「ボーン・アイデンティティー」!?

杉本章子
（作家）

空港の搭乗口で、よく引っかかる。ゲートインの際に、金属探知機が作動するのだ。こちらへ、とわきへ誘導され、改めてボディチェックを受ける。

「あのう、松葉杖《まつばづえ》がなければ歩けないようなわたしが、危険人物に見えますか？」

と、言いたい。わたしは一歳三カ月で両下肢弛緩《しかん》性の麻痺《まひ》に罹《かか》り、松葉杖を使う身だ。

しかし、『ジャッカルの日』という映画では、暗殺者が銃を松葉杖に仕こんでいた。乗客の安全が第一なのだから、疑わしい者は徹底的に調べてもらわねばならない。その際は、いつもこう説明する。

「わたしは、足を手術しています。金属で、右くるぶしの骨を固定しているんです」

その言葉で、早々に釈放とあいなる。

話かわって、体脂肪計のことである。

近年、体脂肪の問題がクローズアップされ、薬局などで各種の体脂肪計を見かけるようになった。某日、気軽にお試しくださいと張り紙してある展示品に乗ってみた。ピカピカと点滅するデジタル表示を見るともなく見ていたらしい薬局の人が、さっと寄ってきた。

「おかしいですね、その数値。お見受けしたところ、肥満体でもいらっしゃらないのに」

わたしも不安になり、あれこれ考えた末、足に金属が入っている話をした。

「ああ、なるほど。体内に金属が入っていると、正確な数値は出ませんから」

と、薬局の人も得心がいったようである。わたしも、ほっとした。

さて、人騒がせな足首の金属だが、なにしろ小学四年生で受けた手術である。かれこれ四十年近く、体を支えてくれているわけだ。耐用年数は、どのくらいなのだろうか。

気になってきたわたしは、去年、整形外科で診断をあおいだ。レントゲン写真を見ながら、先生は不審顔でおっしゃった。

「金属で足の骨を固定しているとのことですが、ごらんのとおり、どこにも金属は使われていません。骨と骨とをくっつける、実に丁寧な手術がなされているだけで……」

わたしは、絶句した。大学病院で主治医の先生から、たしかにそう聞いたのに……。

それじゃ、空港の件は？　はたまた、体脂肪計の件は？

わたしの「ボーン・アイデンティティー」は、かくして崩れ去ったのであった。

すべて圏外になる

畠中　恵
（作家）

白状してしまうと、私は携帯電話を使うのが苦手だ。今時そんな人間は、かなりなところ時代遅れだなあという気が自分でもする。

基本である通話、メール、振り込み、写真の撮影と転送等々の内、私が満足に出来るものと言えば、ただ話すことくらいだろうか。

なのにその苦手な携帯電話は、この先私を置いたまま、更に進化していくらしい。携帯電話で、遠く離れた所から家電を動かしたり、バーコードを携帯電話に読み込ませての支払い、などというものすら、日常化していくみたいなのだ。

はたして私がその機能を使う日が、来るかなあと考えてみる。もしかしたら前衛的な衝動に取り付かれ、ものは試しとやってみたくなるかも。だが、それは世間様に対しての、害悪になりはしないだろうか。

振り込んだつもりのお金が、私の思いもしない世界の果てに行ってしまっても、とりあえずはどうにかなるかもしれない。

(いや、それだって、お金が届かなかった先方は、困るだろうが)

だが、エアコンを動かすつもりで、風呂桶《ふろおけ》から溢《あふ》れるほど給湯したり、とんでもない時間に、テレビが大音量で鳴り出すよりは増しだという気もする。やる。私なら、きっとその位はやってしまう！　自信？　ありだ。

実は先日も、馬鹿馬鹿《ばかばか》しいだけに気恥ずかしくて、人には言えないような事をした。その日、午後も少しだけ遅い時間に、新潮社に行く機会があった。正面入り口が既に閉まっていた。受付で編集さんに来社を告げてもらう気でいた私は、初めての事に戸惑った。その時、こういうときこそ使わなければと、携帯電話を取り出したのだ。

ところが！　電話が通じない。圏外の表示が出てしまう。会社の目の前から掛けているのに、それはありえない。私は呆然《ぼうぜん》としてしまった。唯一《ゆいいつ》出来るはずの通話に、失敗してしまったのだ。そのときは夜間出入り口を見つけたので、用は事足りた。だが、どうしてビルの外から中へ、掛けられなかったのか。

実は……市外局番を付け忘れていたのだ。今時、笑い話にもならない気がする……でも、やっちゃったんですねえ。こんな風で、どうして携帯電話を持っているのかしらね。

何故《なぜ》、携帯電話とかくも相性が悪いのか。人に言ったら、相性の問題ではないと言われた。成る程、そうかも知れないと納得した。ん、ん？

4 こんな結果になるとはね。

パンツドライヤー

斎藤由香
（エッセイスト・窓際ＯＬ）

毎日、失敗は山のようにあるが、何故《なぜ》か恥ずかしいと思ったことがあまりない。会社の先輩からは、

「オマエの辞書には羞恥心《しゅうちしん》という言葉がないのか？」

とよく言われる。とくに漢字の失敗は日常茶飯事で、入社した頃、「兎《と》に角《かく》」を「うさぎにつの」と言ってしまって周りは目がテン。「好々爺《こうこうや》」を「こうこうじい」、「順風満帆《じゅんぷうまんぱん》」を「じゅんぷうまんぽ」、「琴線《きんせん》にふれる」を「ことせんにふれる」、「黒山の人だかり」を「黒だまりの人だかり」というのは朝飯前。「真紀子の更迭《こうてつ》」を「真紀子のこうそう」と大声で言ったこともある。

自分でも会話をしている最中に、〝あっ、まずい！〟とは思うが、また失敗

してしまったのだと気がついた時は後の祭り。漢字はもちろん、仕事の失敗も多いので、いちいち恥ずかしいと思っている暇もない。斎藤茂吉も孫娘のあまりのバカさ加減に草葉の陰で泣いていると思う。

会社では精力剤の「マカ」のPRをやらされていて、毎日、「勃起《ぼっき》、勃起」と言っているので、先輩の男性社員から、

「よくそんな言葉を平気で言えるね。聞いている僕の方が恥ずかしくて赤面するよ」

と言われるが、私が臆面《おくめん》もなく恥をかいたのが功を奏したのか、売り上げが前年比600％に達してしまったのだ。

しかしそんな私でも、今年の夏、恥ずかしい思いをした。その日は朝から三十度を超える猛暑だった。明大前駅から京王線の新宿行きに乗ると異様な暑さに気がついた。冷房が壊れていたのだ。車内はすごい混雑で乗客はイライラして不機嫌。汗が頰を伝わり、首筋から胸の谷間（そんなにないが）に流れ落ちる。汗ビッショリになって新宿駅に着くと朝からヘトヘト。水色のワンピースには汗が滲《にじ》んでいるし、ブラジャーもパンツも汗みどろ。〝あー、こんな汗だ

くで会社になんて行けないよ……〃と思った瞬間、閃《ひらめ》いた！　駅のトイレにある手を乾かすドライヤーでブラジャーとパンツを乾かせばいいのだと。

私はトイレの個室で下着を脱いで裸の上にワンピースを着てトイレのドライヤーで「ガーガー」と乾かしていた。

〃カラリと乾いていい感じ！〃と思った瞬間、美人ＯＬが入ってきて、私が手に持っているパンツとブラジャーを怪訝《けげん》な顔で見られてしまった。

チャラリーン！

教習所の日々

俵 万智
（歌人）

大学二年生の春休み。暇だったので、なんとなく自動車学校に通いはじめた。社会人になってからでは、なかなか時間がとれないだろうし、まあ長い人生、そのうち役立つこともあるだろう、というような軽い気持ちからだった。実際、私の父は、会社に入ってからアメリカに行くことになり、事前に自動車免許をとろうとして、すごく苦労した。結局父は時間切れで間に合わず、渡米してから「ウソのように簡単にとれた」免許を、今でも持っているが、「日本では恐ろしくて」一度も運転したことがない。

今にして思うと、父の教訓は、こう解釈すべきだった。「私は運転には、まったく向いていない血筋なのだ」と。

機械が苦手なうえに、おそろしく運動神経が鈍い。どれぐらい鈍いかというと、歩きはじめたのが一年三ヵ月たってからだったし、幼稚園のときにはスキップができなかったし、運動会のリレーでは私のいるチームは百パーセント最下位だったし、生まれてから一度も逆上がりをしたことがないし、転校した学校では体育の先生に呼び出されて「おまえ、手を抜くのもいい加減にしろ」と叱《しか》られるし（私は真面目《まじめ》にやっていたのですが）……。

ここまでくれば、だいたいお察しのとおり、教習所では、絶望的な日々が続いた。一月の終わりから、毎日のように通っていたのだが、四月になっても、とれない。仮免許にいくまでに、補習が二十時間近くついて、そのはんこを押す欄がなくなってしまい、紙を継ぎ足した。「五十のオバサンでも、ここまでひどい人はいない」と言われ、路上に出れば、必ず私のうしろは大渋滞。ハンドル操作を誤って「おまえ、俺を殺す気か？」と怒鳴られることもしばしばあった。

ここで合格しなければ、夏休みに持ち越しというギリギリのところで、なんとかクリアしたのだが（かなり温情が入っていたような気がする）、免許を手にしたときの気持ちは、「ああ、これでもう運転しなくてすむ」だった。

当然のように、それ以来まったく運転はしておらず、免許証は便利な身分証明書としてだけ、役立っている。歴史に残る（？）劣等生だった私だが、『サラダ記念日』がベストセラーになったとき、その自動車学校のパンフレットには「あの俵万智さんも卒業！」と書いてあったそうだ。とほほ。

落ちるな、肩パット

阿川佐和子
（エッセイスト）

世の男性諸氏にはあまり縁がないと思うけれど、私のような「なで肩人間」は、ときどきとんでもない失態を演じることがある。最近ファッションの傾向が変わったのか、肩の張ったデザインは少なくなってきたが、それでもたいていの場合、肩パットを利用しなければスタイルが決まらない。

服の組み合わせによって厚さを調節したいので、縫い付けるのは面倒だ。簡単に取り外しができるよう、両面テープでつけましょう。と思うところから、失敗が生じる。

最初に恥ずかしい思いをした場所はハワイであった。夕食会に招かれてムード溢《あふ》れるホテルへ向かう。駐車場に車を止め、気取った面持ちでロングムームーの裾《すそ》を持ち上げつつレストランに到着、しばらく歓談していて気がついた。片方のパットがない。テープの粘着力が弱って肩からはずれたらしい。しかし同じ紛失物でも、お財布やアクセサリーなら、この慌《あわ》てぶりを公表もできようが、肩パットでは、「まあ、どうしましょ。パットがない！」とは言いにくい。しかたなく、ほほえみながらさりげなく、肩、袖《そで》、胸、おなかを手でさすり、しまいにはテーブルの下をのぞき見て、パット捜索に精を出すが、それでも見つからない。

結局、その日は何を食べても話しても落ち着かぬまま友人と別れ、とぼとぼ駐車場に向かって歩いていくと、あるではないか。美しいブーゲンビリアの花におおわれた白い遊歩道の真ん中に、不気味な肌色をした三角の物体が。急いで辺りを見渡して、誰も見ていないことを確認するや、あわれなパットに走り寄り、すばやく拾う姿は、さながらコソ泥のようだった。

ゴミ一つ落ちていない洒落《しゃれ》た小径《こみち》を豪華な衣装のカップルが行き交う。果たして彼らのうちの何人が、このみすぼらしい肩パットに気づいたことだろう。

しかしまだハワイの一件においては、落し主が私であることは知られずに済んだ。ところが数カ月前。ある方と対談をする直前、対談場所となったホテルのスイートルームにて、その場に集まった十数人の方々とバルコニーへ出た。

「まあ、きれいなお庭が見渡せて。すてきなところですねえ」

優雅な足取りで数歩、歩を進めた次の瞬間、「あっ、アガワさん。何か落とされましたよ」

呼び止められて振り返ると、その方の手に、薄汚れた肩パット。拾ったご当人、まさかそれが私の胸から落ちたとは思わないだろうかと当惑し、「あ、失礼。これ肩です、肩」などと言い訳しながら、皆に笑われて、ますます恥ずかしい。今度は、もっと強力な両面テープを買うことにしよう。

体格、女優の面目躍如

藤田弓子
（女優）

その時私達は日本酒を飲んでいた。相手は酒豪の名をほしいままにしていた、太地喜和子《たいちきわこ》。場所は京都太秦《うずまさ》東映撮影所前の旅館菊香荘。「女優とは、芝居とは、人生とは……」青く熱い議論に夢中になって美味《おい》しいお酒だった。「弓子さーん、お電話ですよォ」階下でお手伝いさんの声がする。「男の方からですよォ」私とびあがって階段をかけおりる。当時私は大恋愛中だった。本館の帳場にある電話に向って一目散。新館から本館へ入ったとたん、ガッチャ〜ン！ものすごい音の中を馳《は》せ抜けた。「あれっ？」と思ったがそのまま廊下を走って電話口へ。後で「キャーッ」と叫び声がしたようだ。

その声にびっくりして太地喜和子がかけつけた。「ああやった。弓子がガラスを頭に突きたてて血だらけになって倒れているに違いない……」が、そこで彼女が見たものは、腰を抜かしてへたりこんでいるお手伝いさんと、人型にポッカリとぬけたガラス戸。弓子の姿はどこにもない。それもその筈《はず》、御当人の私、受話器を手にして「今ね私、ガラス戸をかけぬけちゃったみたい」と暢気《のんき》に話しているのだから。しかし電話の相手は待ち焦《こが》れていた恋人ではなかった。

現場に戻ってみると喜和子が「病院、病院」と私をひっぱって、近所の病院へ連れて行ってくれた。しかしまったくどこにも怪我《けが》がない。探してみれば右目の上にかすかなかすり傷がひとつあるばかり。「先生大丈夫ですか」と喜和子。「まったく大丈夫です。もし心配なら東京のケイセイ病院に行って下さい」「セイケイでしょう」「ケイセイです」「セイケイじゃないんですか」「へ、へ、ケイセイです」

なんてやりとりがあり、すっかり拍子抜けして旅館へ戻ると、なんだか大騒ぎになっていた。「女優がガラス戸にぶち当って顔を大怪我したんだって」「このガラス厚さが一センチもあるよ、しかも針金が入ってるじゃないか」「それが人型に抜けてるんだからただごとじゃないよ」「女優生命もお終《しま》いだね」

うしろで聞いていた私「あのォ、誰の話ですか？」「藤田弓子」「私？」「ギャッ！」

ぴんぴんしている私を見て皆は指をさして笑う。「さすが、体格女優！」

この話しばらくの間、撮影所仲間の酒の肴《さかな》になってしまった。

それから何ケ月かして再びその旅館に行ったら、くだんのガラス戸に花のシールがいっぱいはってあった。「ああ、又誰かがぶつかるといけないので貼《は》ったんですね」と言うと、「いいえ、今日弓子さんが来やはるて聞きまして、朝からみんなで貼りましてんよ」

真夜中の珍事件

林葉直子
（作家）

ホテルに宿泊し、オートロックだった事をついうっかり忘れて、部屋の外に出てしまい、

「オートロックだった事を忘れて」

とフロントに謝って、スペアキーで開けてもらった人って大勢いると思う。が。

なぜ部屋に鍵《かぎ》を忘れて、廊下に出てしまったかを理由付けする人は、ほとんどいないだろう。

二年前、まだ先生という肩書きで将棋の仕事で地方に招かれたときの事であ

る。

そのときは、ホテルに三泊しなければならなかった……。

ホテルにチェックインした初日に、私はとんでもない事をしでかしたのだ。

仕事を終え、夜、ホテルのバーで仕事仲間と一杯やりながら談笑し、いい気分になり自分の部屋に戻った。

「酔っぱらっちゃったぁー」

ひとりごちながら、私はバスタブにお湯をためつつ、服を脱いだ。

酔ってお風呂《ふろ》に入るのはよくないらしいが、冷え性の私。どうしても温まりたくなる。

どんなときでもたいてい、お湯にドブンとつかって寝るのが日課となっているのだ。

「あー♡　最高」

冷えた身体《からだ》が湯を喜ぶ。

このときもそうだった。

朝シャワーを浴びるので、長湯はしない。

浴室内で身体をふいたあと、バスタオルではない、小さいほうのタオルを頭に巻きつけ、鼻唄《はなうた》まじりで浴室を出た。

宿泊用の浴衣《ゆかた》はベッドのほうだった。

当然、このとき、私はスッポンポンの状態である。

右に行けば、なんの問題もなかった。

ところが、人間の習慣とは恐ろしいもので私はなんと、家《うち》のつもりで左のほうへ歩き、外に出てしまったのである。真夜中で人が通らなかったから最悪の状態からは逃がれられたけれど、合鍵を持ってきてくれたフロントのお兄さん――私の格好を見るなり、うつむいたままだった。

フロアからフロントに直通でかけられる電話があったからよかったものの、こんな格好で、なぜ廊下にいるのか、いい訳を考える時間は、とてつもなく長く感じられ、次の日にこのホテルをチェックアウトできない事も恥かしかった。

ああ、花嫁衣装

篠田節子
（作家）

花嫁衣装というものを四回、着たことがある。別に当世流行遅れのハデ婚で、ファッションショーよろしくお色直しをしたわけではない。結婚、再婚、再再婚、再再再婚をしたということもない。

二十代半ば頃、花嫁衣装のモデルをしていたのである。と、書けば、大方の読者は、電車の吊《つ》り広告にある清楚《せいそ》で高貴な感じの白無垢《しろむく》姿の花嫁を思い浮かべるかもしれないが、あれは一流のプロである。こちらは、「一日一万。食事付、どう？」と手配師役の同僚に声をかけられて駆り出された役所の女子事務員だ。華麗な仕事が待っているわけはない。

行き先は地方の某公立結婚式場。貸衣装屋と美容室がタイアップした展示会で、併設された大ホールの舞台に立つ。

花嫁モデルは三人。全員、役所の職員である。まず一週間前に、会場に行き衣装合わせをする。和服と洋装の両方だ。いずれも貸衣装屋のリキが入っていて、並の品ではない。大奥の局《つぼね》か吉原の太夫《たゆう》かって感じの打掛けや、宝塚のノリのウェディングドレス。とっかえひっかえ着せられていると、気分はスーパーモデルである。前日に式場の美容室に行き、本物のエステティシャンに顔と首のマッサージとパック、爪《つめ》の手入れ、髪のトリートメント等々をしてもらう。もうなりきりシンディ・クロフォード……。

そしていよいよ当日。留め袖を着る年配のモデルさんたちは、すでに着付けを終了しているのに、私たち花嫁モデル三人は、髪とメイクは終ったものの、裾《すそ》よけ、ノーブラ、肌襦袢《はだじゅばん》の頼りない姿。その状態で金の草履《ぞうり》を履かされた。「え、なんで？」と問う暇もなく、着付け師のお姉さんたちに連れられ、舞台のスポットライトの下に……。満員の客席から無数の視線が、私たちの半裸に注がれる。うろたえていると、ようやく鴇色《ときいろ》の長襦袢が着せかけられた。ああ、これって着付け師さんたちのショーだったのね、と納得したが、早い話が、逆さストリップ。長襦袢の上から紐《ひも》をぎゅっと絞められて振り袖。間違えて身八つ口に腕を突っ込み、お姉さんに怒られる。さらに紐をぎゅっ。バストに食い込んで痛いが、お姉さんたちは容赦しない。だてまきをつけてまた紐、丸帯、またまた紐。息ができない。お姉さんたちの厳しい顔に汗が光っている。ようやく花魁《おいらん》風打掛けを着て完成。客席に向かってにっこり笑いかけたその瞬間、隣でどたり、と音がした。見れば白無垢のモデルが、縛りに耐えかねて気絶したところだった。

場外乱闘に巻きこまれ

林あまり
（歌人）

私の趣味はプロレス観戦。ＴＶ中継では物足りず、試合会場にせっせと足を運ぶ。なかでも好きなのが女子プロレスだ。

女子プロレスラーのタイプは様々あって、がっしりした体格の、いかにも強そうな選手がいる一方で、ほっそりしたきゃしゃな体つきなのに、打たれ強い選手もいる。体重一〇〇キロ以上の選手が、スリムな選手を蹴《け》りとばすシーンなど、見ているこちらがつらくなる。蹴られ続けてフラフラになり、それでも立ち上がって向かってゆく細い背中を見つめながら、涙が出てくることさえある。「なんでそこまでやるの……！」と心の中で呟《つぶや》くたび、私はいっそう強く女子プロレスの虜《とりこ》となる。

ある正月、ひいきの全日本女子プロレス・後楽園ホール大会に出かけたときのことだ。私の席は、当然リングサイド。前売開始のその日に購入したチケットである。

お待ちかねの試合が始まる。アジャ＝コング対みなみ鈴香《すずか》。アジャ選手は先ほど書いた「体重一〇〇キロ以上」に当たる実に立派な体格で、対するみなみ選手はロングヘアの似合うスリムな美人。いつものようにハラハラしながら、みなみ選手を見守る。

場外乱闘が始まった。反対側のリングサイドで揉《も》み合う二人。と、突然アジャ選手がみなみ選手のロングヘアをひっつかんで、こちら側に走ってくるではないか。ぐんぐん迫るアジャ選手の怪物のような形相。気がつけば周囲の客は皆逃げてしまい、私一人が呆然《ぼうぜん》と立ちすくんでいる。場外乱闘は慣れっこだし、逃げるのも得意なつもりだったが、なぜかこのときばかりは不覚を取った。

アジャ選手がみなみ選手の髪を思いきり振りとばす。もうダメだ、みなみ選手とぶつかる！　思わず目をつぶった瞬間、ガシャンとすごい音がして、尻餅《しりもち》をついた。——おそるおそる目をあけると、席の前にあった鉄柵《てっさく》にみなみ選手が倒れこんでおり、私ははじきとばされた彼女を、鉄柵もろとも抱えこんでいたのである。

「大丈夫ですか！」セコンドの若手選手たちに取り巻かれ、あわてて立ち上がる。「いやあのその大丈夫です、スミマセン、ノロくて……」などと意味不明の言葉を発しながら、顔中どころか全身が真っ赤になるほど恥ずかしく、そのあとの試合経過はまったく覚えていない。

それでも、みなみ選手（大ファンでした。すでに引退……）のクッションになれたうれしさに、今年は春から大当たりね、なんてニヤつきながら帰った私。本当はそっちの方がよほど恥ずかしいことかもしれない。

ところ変われば屁《へ》も変わる

玉岡かおる
（作家）

学生の頃、カリフォルニアにホームステイした時のことである。

出迎えてくれたのは、白人の大男に小柄なアジア女性、それに小さな女の子。この、わけのわからないホストファミリーと対面の後、挨拶《あいさつ》の次はいったい何を話すべきだろう。

考えに考え、「We Japanese《私たち日本人は》……」などと大上段に切り出したのはいいが、緊張していたらしい、Japanの「パ」の音になぜか力が入り、連鎖反応でついお尻《しり》の方も「ぷ」と不自然な音を出してしまった。

ひゃあ、初対面でオナラをするとは。

落ちつけ。相手には聞こえてないはず。何もなかった顔をして喋《しゃべ》るんだ。相手も、表情も変えずに聞いてくれているではないか。

ところが私の背後で、こらえきれずに「ぬはははッ」と笑い出す者がある。ぎくっとして振り返ると、八歳になるその家の娘アニーだった。

なんの子供ごとき。私はしらばっくれて、「何笑ってんの？」と涼しい顔をしてみせる。するとこの小悪魔は、「ユー・ファーティング！」と私を指さす。

——負けるか。ラーフィング《笑ってる》？　えっ？　ファイティング《がんばってる》？　さらにごまかす私に、大人たちは白けた顔で、話の腰を折った娘にお黙りなさいと注意する。自分の部屋に帰るとすぐ辞書をひいた。fart で動詞、「屁を放つ」。

やっぱりみんな、聞こえていたのだ。

さらに翌日。トイレが壊れた。流れない。

ホストマザーに告げにいくと、「ああ、いいよ、また修理を呼ぶから」とずいぶん気長な返事。だが修理って、いつ来るのだろう？　私は〃大〃の方をしちゃったのだが。

それにしても大って、いったい英語で何て言う？　まさかアイ・ディッド・ビッグなんて、直訳もいいところだし。

しかたない。アニーに聞こう。チビでもネイティブスピーカーだ、私よりましなはず。彼女は笑いもせずに教えてくれた。いわく、「ブラウン・スタッフ」。私は大助かりで、ふたたびマザーに「壊れたトイレにブラウン・スタッフを残している」と説明し直した。――オー、ノー！

マザーの反応はさっきより素早かった。

おかげでその日のうちに修理は来た。やっぱり言葉は大事だ。よかった、よかった。

さて、辞書をふたたび。でも、どこにもブラウン・スタッフなんて載っていない。

気になるので、語学教室の講師にそっと聞いてみた。彼女は暗い顔で、こう言った。

「多用すると日本人の品位を落とすよ」

どうやらブラウン・スタッフというのは、日本語では「ばば」「糞《くそ》」といったあたりになるらしい。語学習得はまず下ネタ単語から、しっかり勉強しておくことざます。

残された草履

唯川　恵
（作家）

　二十代半ばから、約十年間、小唄《こうた》を習っていた。冗談半分で「三味線やってみたいなあ」と、口にしたのがきっかけだった。
　友人のひとりが「そう言えば、友達のお母さんが小唄の師匠だから紹介してあげる」と、言い出した。具体的にそんな話が出るとは思ってなかったので、ちょっと慌《あわ》ててしまった。「でも、三味線持ってないから。あれって高いでしょう。続くかどうかもわからないし」と言うと、今度は別の友人が「うちの母親、齧《かじ》ったことがあって、確か、その時に使ってた三味線が納戸《なんど》で眠ってる」と、言うのである。翌日には、「どうせ使わないからあげるって」との連絡が入った。何かもう、習わなければ引っ込みがつかない状態になってしまった。

けれども、習い始めるとハマった。それまで楽器はほとんどやったことはなかったが練習すればそれなりに弾けるようになるものなのである。三味線は音感が命だと思う。ここを押さえればこの音が出る、という基本はあるが、微妙な違いを自分で探し当ててゆく。なかなかスリリングな楽器なのである。

さて、習い始めて五年目ぐらいの時、発表会に出ることになった。内輪ではなく、他流派との合同の、ちゃんとした発表会である。師匠が唄い、私が弾く。

当日は、着物を着て、緊張しながらも、これがきっかけで、もし花柳界からお誘いがかかったらどうしよう、などと期待しながら出番を待った。

舞台には、もう一段高い座があって、そこに草履を脱いで座るようになっている。さて、いよいよその時が来た。私は三味線を持ち、裾《すそ》から師匠の後をついて座へと向かった。その途中、急に歩きづらくなった。あれ？　と思って足元を見ると、なんと草履の底が抜けているではないか。振り向くと、それは舞台の途中にぽつんととり残されている。

もうパニックである。お客さまは、あそこに落ちているのは何だろう、と思っているに違いない。いや、草履の底だと気がついているかもしれない。笑われる。恥ずかしい。三味線は散々な出来となってしまった。
当然のことながら、師匠からは呆《あき》れられ、花柳界からのお誘いも夢と散ったのだった。

疾走ナプキン娘

中村うさぎ（作家）

恥ずかしい体験といえば思い出す、花も羞《は》じらう大学生時代。当時、体育会系のクラブに所属していた私は、毎日、部活でランニングをさせられていたのだが、そんなある日のコトである。

いつものように元気よく走ってる最中に、ふとオナラがしたくてたまらなくなった。後ろのヤツに匂《にお》いを察知されるコトを懸念《けねん》して、わざとスピードを落とし、列の最後尾まで下がってから、心おきなくブッ放した私であるが、その瞬間……！！！

勢いよく放屁《ほうひ》した弾みに、肛門のあたりで不穏な気配が生じた。要するにガスだけではおさまらず、ミまで出かかったワケですね。

「こ、これはマズい！」

とっさに肛門を締めて自主規制した私だったが、しかし。走りながら肛門を締め続けているのは、至難の業なのである。このままでは、いつ、堪《こら》えきれずに暴発するかわからない。まさに腹に爆弾抱えてる状態だよ。

そこで私は、すぐ前を走ってる女子部員にこっそり声をかけたね。

「ねぇねぇ。ちょっとトイレ行ってくる」

「えっ⁉ どうしたの⁉」

何も知らない彼女は、驚いて私を見返した。ランニングの途中でトイレに行くなんて、我が部では考えられない不謹慎な行為なのだ。

「いや、その、ちょっと……」

まさか、オナラしたらミまで出かかってねぇ、などと正直に言うワケにもいかず、私は怪しく口ごもった。すると彼女は、

「わかった！　アレになっちゃったのね？」

「え？　ああ、うん、まぁ……」

「ナプキン持ってるから貸したげる。男子に気づかれないように、急いで行っ

といで！」

別に生理じゃないんですけど、ま、いいか。ウンコ漏《も》らしそうと言うより、百倍マシだ。

ナプキンを受け取るや、私はドピューンとトイレに突進し、ようやく本懐を遂げたのであるが……ついでにふと思いついて、彼女が貸してくれたナプキンを、ありがたく使うコトにしたのだった。この後、再び不用意にオナラしてミまで出かかっても、ナプキンしてれば大丈夫、と考えたからである。

しかしなぁ、二十歳にもなってウンコ漏らす女ってのもアレだが、そのうえ失禁防止にナプキンするってのも、どーかと思うぜ。ボケ老人じゃないんだからさ。この時のコトを思い出すと、つくづく自分がイヤになる私である。ああ……私って、恥ずかしいヤツ！

芽キャベツ捕獲作戦

吉永みち子
（エッセイスト）

この際だから、ドカンと大きな恥はないかと胸に手を当ててみたが、思い出さない。どうやら小心の私は大きな恥ずかし体験ではなく、小さな恥が積もって山となって、恥多い人生を構成しているようだ。塵《ちり》のように積もった恥を分別してみると、やけに食べ物関係の恥が多いことに気がついた。
その中でも、とりわけ鮮明に覚えているのは、慣れないフランス料理を食しながらの座談会の席での出来事だ。慣れておりますのオホホ……という風情《ふぜい》を作ったものの、実は緊張していた。その状況で、メインのつけあわせが芽キャベツだったのが、不幸の始まり。他の人の食べ方を真似《まね》しようと待ったが、誰も手をつけない。こうなれば、自分の流儀で口に収めなくてはならない。フォークで突き刺してひと口でガバッと食べるべく試みてみたが、うまく刺さらない。ンッ？　まずい。てえことは、ナイフも用いて切れってことか？　いかにも気取った手つきでナイフを動かしたが、これが切れない。よーし、もっと強くとナイフとフォークを持つ手に力をこめた瞬間、あろうことか芽キャベツが飛んだ。テーブルの上か床なら、まだよかった。「あーら、私に食べられたくないんだわ」とか言って、捨てておくことができる。が、何と、前の席の人のお皿に着地してしまったのだ。その人も、いきなり芽キャベツに飛んでこられて、さぞかし驚いたことだろう。

みんなの手がいっせいに止まり、うつむいてフッフッと肩を震わせている人もいる。

まずいよなあ。「すみません、ウチの芽キャベツがお邪魔しまして……」「あ、いえ」しかし、やはり引き取りに行くしかないだろう。迎えに来て！　という感じで、前の人が私の方にお皿を押し出したので「では、じかフォークで失礼」と再び逃げた芽キャベツを連れ戻しにかかった。が、手元の皿でも捕獲に失敗したものを、寄せたとはいえ前の席から自分の皿に移すのは至難の業。今度は、ゴロッとテーブルの上に落ちて、転がった。

ここまで来ると、みんなもう堪《こら》えきれなくなって、おおっぴらに笑いだした。笑われたのは、芽キャベツではなく私だろうと思うから、私はパニックだ。何とか早く素行不良のコイツをとっつかまえて、皿に戻さなければと焦《あせ》れば焦るほど捕獲作戦は失敗。ええい、このやろう！　とばかり、むんずと手で摑《つか》んでやっと自分の皿に戻した。もう食べようという気力もない。みんなも私と同じ憂き目にあいたくなかったのだろう。全員の皿に芽キャベツは残されたままだった。

はんぺんの髪飾り

向笠千恵子
（フードジャーナリスト・エッセイスト）

みずからの存在自体が恥であるとは某大哲学者の発言だったけど、存在を「出演」に置き換えてみると、いまの心境にぴったり。恥ずかしながら、NHK教育テレビの「金曜アクセスライン・ごちそう賛歌」という番組に、毎週夜八時から生出演しているのである。

話の中身もトークも猛省ばかりなのだが、学習だけですまないのが衣装の問題。自前のうえ、毎週のことなので時間もきびしい。何を着るかでいつもどたばたしている。

そこで頼りになるのがブローチ。ピンポイントでなんとか変化をつけるのである。

うれしいことに、オリジナルを友達が手作りしてくれている。最近のヒットテーマは昆布《こんぶ》と佃煮《つくだに》。彼女は芸大工芸科鍛金研究室出身のアーティストだから金属加工はお手のもの。鉄板に皺《しわ》を寄せた昆布ブローチはいかにも出汁《だし》がよく出そうな仕上がりだったし、三匹のわかさぎを象《かたど》った銀製佃煮は、ながめるだけでお茶漬け三杯はいけそうな雰囲気。リアルと抽象が不思議に同居しているところがすばらしい。

でも、ここに至るまでは彼女も大変だった。

当初は銀製の枠に本物の食材をとじこめるのがもっぱらで、焼き網の中に海苔《のり》をセットしたものが代表作だった。だが、同様な発想のちくわ（これも本物）詰めはわたしの方からパス。生々しいうえ、食品そのものをアクセサリーにすることがたまらなかったのである。

そこで金属による「もどき」意匠へと軌道修正したのだが、これはこれで身につける側としてはけっこう度胸がいる。

忘れもしない。はんぺんがテーマの時だった。

築地《つきじ》の老舗《しにせ》、佃権《つくごん》の高級はんぺんをモデルにしたのだが、出来上がってきたのは、はっきりいって楕円の銀盆。四角ではなく楕円が売りものなのだから仕方ない。にしても、アルミ打ち出し鍋《なべ》を浅めの小ぶりにした体裁。何とも判断がつかずうなっているうちに、出番が近づいたのだが、衿《えり》には大きすぎるし、胸に留めてはかえって異様。えいままよと髪に飾ったら、これが意外に似合った。

放送後、帰宅して留守電を再生してみると「どしたの？　ハゲちゃって。ストレスなんじゃない」というメッセージがいくつも入っていた。銀板を叩《たた》きのばした鍛金技法なので、光るわけがないと思い込んだのが油断！　銀は光を集める効果抜群だから、スタジオのライトをぴっかぴかに映したわけで、誰が見ても円形脱毛症まるだしだったということ。

初心の心得を忘れたのが、ああ、恥ずかしい。もっと恥ずかしいことに、この番組出演はまだまだ続くのである。

とはいえ、最近は出演が楽しいし、ブローチにもわくわくする。恥じらいが薄れたのだろうか。

忘れられない日

残間里江子
（プロデューサー）

それは、一九七〇年十一月二十五日のことだった。

その年の春、短大を出た私は静岡の放送局にアナウンサーとして採用された。テレビとラジオ両方を持っている放送局だったが、容姿が関係したのだろう、私はラジオが主な仕事場だった。

東京にあるキーステーションと違って、ここでは生放送以外のラジオ番組にディレクターは付かず、自分で制作し自分で録音することになっていた。つまり、自分でスクリプトを書き、自分で選曲をし、自分でコマーシャルのカートリッジテープを回し、自分で喋《しゃべ》り、自分で収録をするのである。

十一月二十五日午前十一時すぎ。

いつもなら使っていないはずのスタジオで、ニュース担当の男性アナが原稿の下読みをしているのが目に入った。

「あらっ、こんな時間に何を収録しているのかしら。そうか、レースガイドの枠取りでもしているんだわ」

そのアナウンサーは真面目《まじめ》そのものの人で、音楽番組など柔らかい番組を担当することはなく、ニュース以外だと浜名湖競艇や豊橋競輪などの「レースガイド」を担当していたのだった。

私は自分の持ち番組の収録が終わったところで、気持ちが軽くなっていた。あまりに生真面目な顔で下読みしている姿がおかしくて、私は、ガラス一枚で仕切られた隣りのスタジオから大きく手を振った。

しかし、原稿に気を取られている彼は全く気がつかない。

おかめの顔をしても、跳んだりはねたりしても気がつかない。

「……ったく、真面目なんだから」

私は隣りのスタジオに行き、いきなりドアを開け、後ろから両手で彼の両目を覆い、大きな声で「ワッ！」と、脅かし、次いで「カ・ワ・バ・タさんっ、何やってんの!?」と言ったのである。

川端アナは、私に両目を覆われたまさにその瞬間、こう言ったのだった。

「臨時ニュースをお伝えします。先ほど東京市谷の自衛隊に、作家の三島由紀夫氏が……うっ……」

この間約十秒。

そこにかぶった私の明るい声。

「ワッ!」「カ・ワ・バ・タさん、何やってんの!?」

硬直した川端氏は「シッ、シッ」と私を振り払おうとするのだが、それまで二時間もスタジオに入りっぱなしだった私は、事の次第がのみこめず、「今のは誰だッ!」とアナウンス課長が怒鳴りこんでくるまで、何のことか解《わか》らなかった。

県内各地から「あれは何だ!」の抗議が殺到、私は厳重注意と居残り罰を受けた。

以来毎年十一月二十五日が来るたびに、また三島由紀夫氏の名を聞くたびに、身を縮めているのである。

六本木のヒロシ

鷺沢　萠
（作家）

まあ自慢ではないが恥ずかしかったことなど掃いて捨てるほどある。歩く恥の宝庫といっても差し支えなかろう。でも今回は、私が恥ずかしかったというより、ある男の子がすごーく恥ずかしかっただろうなー、という話をしたい。

あれは半年間韓国で暮らして帰国したばかりのころの、ある夜のことだった。午前二時とか三時とかのディープな時間に、電話が鳴った。出てみると二十歳前後と思われる若い男の声が、妙な馴《な》れ馴《な》れしさで「あ、ゴメン寝てた？」と言う。まだ眠ってはいなかったので曖昧《あいまい》に「いえ……」などと言うと、今度は「仕事してたんだ？」と来た。

「すみませんけど、どなた？」

当然すぎるほど当然の問いを投げかけると、果たして彼はちょっと残念そうに言ったのだった。

「憶《おぼ》えてないー？　ホラこないだ六本木で会ったヒロシ」

知らねえよ。それに帰国直後のことで、六本木なんか最後に行ったのはどう短く見積もっても七、八か月は前、という時期のことである。

これは明らかに間違い電話、と確信した私は白けた声で「どちらにおかけですかー」と言ってみた。すると、あろうことかヒロシくんは言ったのである。

「え、サギサワさんのお宅じゃありませんか」

驚きましたよ、物凄《ものすご》く。だいたい鷺沢なんて、よくある苗字《みょうじ》では決してないわけだし。あまりの驚きについ「え、そうですけど」と肯定してしまったのだが、ヒロシは重ねて確認した。

「サギサワ・ルミコさんでしょ？」

おーい……。誰だサギサワ・ルミコって。しばしの沈黙の後、しょうがないから私は言った。

「それねえ、誰かにからかわれたんだと思うよ」

酷な言い方だったかもしれないが、他にどう言えばいいというのだ。まあそのあとのヒロシの慌《あわ》てようといったら、気の毒になってくるくらいであった。しどろもどろになりながらスミマセンを数回繰り返し、電話は切れたのだが、それにしても私の名前を騙《かた》ってヒロシ青年の心を弄《もてあそ》んだ女、出てこい。夜遊びするなら堂々と本名で遊ばんかい。それから私とヒロシに謝れ。

電話番号と名前を知っているということは、いずれ友人知人の誰かだろうが、そこまでヒドいことをする女をどうしても思い付かない。万一友だちのゆきすぎた悪ふざけだったとしても、それならそれで後日報告があるはずだ。まあ、私がいちばん恥ずべきなのは、そんなことをする誰かが友人知人の中にいる、ということ自体であろう。

心あたりのある者、即刻名乗り出るように。正直に言えば許す。

5 これって恥ずかしいことなの？

グラッチェ！ トイレットペーパー

山崎マキコ（作家）

二日ほどまえ、わたしはトイレの便器に座って考えていた。いま、使った分でトイレットペーパーが切れた。つぎに尿意が襲ってきたときは、手で拭《ふ》くしか残された道はないようだ。

まったく自慢することではないが、わたしは大変な怠け者である。とくに怠け度が高かったのが二十四歳から二十六歳にかけての二年間で、わたしは当時、梨《なし》農家の二階に間借りして生きていた。生計を支えていたのは世界のCPUメーカー〝インテル〟の広報誌に月に一本書くエッセイの原稿料と、造園屋の日雇いのバイト代だった。その他の日は何をしていたかといえば、布団《ふとん》のなかで「息を吸うのも面倒だ」とぼんやり考えながら暮らしていた。どうしていつもお金の危機にみまわれているのだろうと首をひねっていたのだが、あとで知ったところによると、わたしの当時の収入は、生活保護を受けている人たちのそれより低かったのだ。どうりでライフラインをすべて止められたりしていたわけである。

で、話はトイレットペーパーである。時効なので告白してしまうが、わたしはこの時期、近所のダイエーのトイレの、補充用のトイレットペーパーをしょっちゅう無断拝借していた。食べ物のほうは我慢してしまえばなんとかなるが、排泄《はいせつ》のほうはそうもいかない。それで自分のなかでは(スーパーのトイレというのは、客を店内に長居させてさらなる購買を促進させるためにあるものであるから、いただいても問題はない)と言い訳をして、たびたびバッグのなかにロールを入れて持ち帰っていた。その後遺症でいまだにトイレットペーパーは、買うのが面倒だというのと、トイレットペーパーを買うなんて大変な贅沢《ぜいたく》であるような気がするというふたつの理由で購入を見送ること多々なのだが、よくしたもので、天はわたしに良き同居人を賜ってくださった。彼の母親という人はわたしの上をいく怠惰《たいだ》な人で、なんでも同居人によれば、彼が高校のころ顔を拭こうと引き出しのなかからタオルを取り出したら、何十年も昔の父親の給料袋が丸々出てきたという。彼女は給料袋を隠したきり忘れてしまったらしいのだ。だからこの家の男たちはみな大変、実務能力が高い。お金の管理も、物資の管理も、すべて男たちの手によってなされる。

おかげでこの日も、わたしはトイレを出るとすぐに、十六ロール入りのトイレットペーパーを手にした同居人が帰宅するのに出くわした。

「グラッチェ！　あなたは軍の物資補給係になったら最高に才能を発揮するよ」

と褒め称《たた》えたら、まんざらでもない顔をしていた。おかげでわたしは今日も生きてる。

邁進《まいしん》する

川上弘美
（作家）

何かを始めると、やめられなくなる。前しか見えなくなり、周囲を忘れる。動物みたいなもんだ。先日も、こんなことがあった。

日曜日の夜九時ごろ、友人から電話がかかってきた。「カワカミがこないだ知りたがってたことが、今日の〇〇新聞に載ってたよ。〇〇新聞、取ってる？」

〇〇新聞は、取っていなかった。明日、図書館に行って読んでみるね。そう言って電話を切った。切ってから、月曜日が図書館休館日であることに気がついた。火曜日まで待てばいいようなものだが、根がせっかちなのである。読みたいとなると、いても立ってもいられない。夜遅いし、家で静かにしていればいいのに、すでに前しか見えなくなっている。

コンビニまで走った。あるか？　ない。新聞は売り切れだと言われる。次のコンビニに走る。ここにも、ない。その次も。そのまた次も。全部で知っている限りの店七軒を巡ったが、どこにもなかった。ここであきらめればいいのに、もう止まらない。

駅の売店ならば。そう思いついたのは、夜も十時を過ぎたころだった。半ば期待して行くも、やはり閉店していた。がっかり。

態勢をたてなおして、駅前の交番で聞き出した〇〇新聞の販売所に、まっしぐらに向かう。販売所には、電気がついていた。しめた。最初からここに来ればよかったんだ。しかし、ふたたびがっかり。電気はついているが、鍵《かぎ》がかかっている。チャイムを鳴らしても、答えなし。ばりばり叩《たた》いても、答えなし。

家を出てから、すでに二時間である。ここまで来たらもうひっこみはつかぬ。いっそ人家に押し入って、「〇〇新聞を出しなさい」とすごもうか。〇〇新聞は、この近所では一番のシェアをほこっているはずである。しかし僅《わず》かに残る常識とモラルが邪魔をする。

進退ここに極まれり。

それで結局、どうしたと思います？　目の前にあった居酒屋に入りました。しゅんとして。半分やけで。

無駄にした二時間余りを思って、最初じとじと一人カウンターに向かって飲んでいたが、そのうち隣のお客と意気投合した。意気盛んになった。酒が進む。見境いなくなる。当初の新聞探しという目的はいつの間にか酒を飲むという目的にすり変わり、ひたすらに邁進。結局閉店まで飲んだ。

家に戻ったのは夜の二時だった。かんかんに怒っていた家人に、本当のことを説明しても、信じてはもらえなかった。

○○新聞はどうしたか？　火曜日に、図書館で読みました。ああ恥ずかしい。

家の前までお願いします

佐藤多佳子
（作家）

お酒を飲む場は好きだが、決して強くはない。それでも、大学に入ったばかりの頃は、お酒が強いようなフリをしていた。日本酒でも洋酒でもとりあえず飲めたし、顔が赤くもならず、ビールのイッキ飲みはちょっと速かった。門限もなかったから遅くまで付き合えた。気が強いようなフリもしていた。そんなのがカッコいいと思っていたのだ。

大学には、専攻とは無関係に一人の教授を囲んで作る学生のグループがあり、アドバイザー・グループを略してアドグルと呼ばれていた。私は同じ史学科のクラス・メートと一緒に世界史のK教授のアドグルに入った。あとからわかったのだが、通称酒飲みアドグルと言われる、ただ集まってひたすら飲むだけのグループだった。ただし、イッキなどはやらず、場所もチェーン店の安酒場ではなく、小料理屋や郷土料理の店などが多かった。

目的のない集まりなだけに、あるいはK教授のカラーなのか、だらだら過ごしている中で、メンバーはさりげなく個性をぶつけあっているように見えた。ファッションとは少しズレたところで、どうやってカッコよくなるかを酔っぱらいながら、それぞれ考えていたのだ。先輩たちはかなり大人に思えた。

その晩は沖縄料理のお店で飲んでいた。一年の女の子は私一人だった。泡盛という焼酎《しょうちゅう》がとてもおいしかった。おいしいと言うと、先輩たちは驚き、どんどん飲むと喜んでくれて、強いお酒だよと注意もしてくれた。泡盛を喜んでどんどん飲む一年の女の子は簡単に座のスターになれたので、私は図に乗った。

店を出たとたんに地面が頭めがけてぐんぐんと盛り上がってきた。意識ははっきりしているのだが、身体《からだ》のバランスがまるでとれない。面倒見のいい先輩のTさんがタクシーで送ってくれることになった。空車を捜すうちに世界の均衡は戻ってきた。家はそんなに遠くなかった。道順はちゃんと言えた。最後まで、きっちり言えた。

次に会った時、私は口の悪いTさんの陽気な非難の的になっていた。フツウ表通りで降りないか？　と彼は言うのだ。どんどん細い道入っていって家の前でサヨナラだもんな。俺、とことん道迷っちゃったよ。私はひたすら恥じいった。タクシーで送られる時のマナーを知らなくて恥ずかしかったのだ。それからずっと何年も私は恥ずかしいと思っていた。今は別の意味で恥ずかしいと思う。十八歳の女の子が、なんて色気のない話だろうか！

太腿《ふともも》は一日にして成らず

斎藤綾子
（作家）

この間、女友達二人と、自分の葬式の段取りやら死に化粧の担当、それに他人に見られたくない物の整理を誰に任せるかといったことで話が盛り上がった。真剣になって約束を取り交わしていた親友のNとMは、私に「斎藤は、どうよ。私たちに何を頼みたい」と尋ねる。「見られたくないモノが、いっぱいあるんでしょ。そっと処分してあげるよ」と言うのだが、正直に言って、自分が死んだ後のことなんか、私はどうでもいい。愛用のペニスバンドやらピンクローターやら、いっぱい出てくるだろうが、まとめて燃えないゴミの日に出してくれればそれでOK。死んだ後、誰にバイブレーターのコレクションを見られようが、別に何とも感じない。どうせ私は死んでいるんだし。

そう答えたのだが、二人は「読まれたくない手紙とか、あるでしょう」と言う。「えッ、読まれたくないのは捨ててるよ」と言うと、「わかった、わかった」と仲間はずれにされた。

それならと、私は介護の話に水を向けてみる。「二人に、もし何かあったら、私、喜んで介護するからね」と言うと、Nは、「いやよ、斎藤に介護されるなんて恥ずかしい。それぐらいなら金を払って、爪《つめ》の長い姉ちゃんにオムツ替えてもらう方がマシ」なんて言う。Mも、「斎藤に介護されると、何かを突っ込まれそうだからな。私もいいわ」と冷たい。

もちろん私は、二人が私を介護してくれるのであれば、熱い粥《かゆ》をサクサク口に運ばれたってかまわない。苦しみ喘《あえ》ぎながら従うであろう。既にケツの穴を見せ合った（ホントはまだ見ていないけど）仲だと思っているから恥ずかしくも何ともないのだ。

しかし二人は、「斎藤が恥ずかしいと思う時って、どんな時よ」と追究する。う〜ん……と考え込んで、やっとひとつ思い出した。去年、温泉宿に泊まってマッサージを受けたのだが、その時にマッサージ師のオバサンに、「あなたの太腿はすごい。競輪やスケートの選手みたいに筋肉が太いけど、いったい何のスポーツをしているの」と驚かれたのだ。

筋肉がついているのは太腿だけで下腹はプニョプニョだから、きっとオバサンは不思議に思ったのだろう。文章を書く時もパチンコする時も座りっぱなしの私が、なぜそんな太腿かと言えば、それは毎日欠かさずオナニーしているからァ!!

競技オナニーというものがあれば、私も表彰台にのぼれたかもしれない。括約筋の緊張と弛緩《しかん》だけで、指もバイブも使わずに存分にオーガズムを堪能《たんのう》できる体なのだ。しかもイク♡タイミングを長短自由自在に調節できる。「でもね、毎日オナニーしているとは言えなかった。水泳の選手だったと嘘《うそ》ついちゃったよ」

そうなんです。時と場合によっちゃ私だって「ああ、恥ずかし」と思うのよ。

お正月がコワイ……

渡辺真理
（アナウンサー）

小学校に上るか上らないかの頃だったと思う。うちの前をいつもプラスチックの風呂桶《ふろおけ》を抱え、頭に沢山カーラーつけたおばさんが決まった時間に通ってた。この先を右に曲った角の銭湯に行くんだな、と思いながら垣根の内側から覗《のぞ》いてた。覗いてる自分の恰好《かっこう》にどこか抵抗感じながら、どうにも化粧っ気なしの顔の上に密集してるいろんな色のカーラーと上に被《かぶ》さった安っぽい色のネットが気になって仕様がなかった。カーラーつけて平気で外歩くってことは、あのおばさんのおしゃれしてきたいとこってどこなんだろう……。なんか、困ったような痒《かゆ》いような、中途半端《はんぱ》な気持ち――恥かしいって感覚を意識したのは、多分この頃だと思う。

20年程経《た》って、全巻き（髪を全部カーラーで巻いた、いわば大仏様の頭に似た状態）にタオルや豆絞りの手拭《てぬぐ》い縛って社内ウロウロしてる自分に気付いたりする。気付いたりするんだけど、じゃあどうしようとも思わなくなっている。「いいんですか、このままで」、気遣ってくれるメイクさんに「大丈夫、大丈夫、誰が見るわけでもなし」なんて言ってしまっている。

己れに太くなる分、身内には年と共に厳しくなっているらしい。

父は、番組（当時出演していたモーニングＥｙｅ）のテレフォンカードを誰彼れなく配りたがる。イラストと組合せで私の顔写真も刷られてて、それだけでも十分恥かしいのに、手元に無くなるや即、娘に催促に来る。「出来ればやめてもらえないだろうか」という下手に出た訴えに明るく頷《うなず》き、また飽きずに配り始める。いつだったか、私の事でみえたという週刊誌の記者さん相手に門の所で散々関係ない世間話をした挙句、「じゃあ気をつけて」とやはりテレカを持って帰らせたらしい。その時父がモモ引き姿だったことを母は母の観点から、今もって恥かしがっている。

実を言うとお正月も一つの山場で、入替り挨拶《あいさつ》に見える親戚《しんせき》に、父は茶の間に陣取って間断なく娘のビデオを見せ続ける。最近は叔母や従姉《いとこ》達も心得てきて、その覚悟で門を潜《くぐ》るようになり、かえって私の方に気遣った視線をくれるのが何だか心苦しい。

ただ私が小さかった頃は、母の若い頃の写真を遊びに来る娘の友達に見せて回っていたので、基本的に変っていない安心感はどこかにある。

父だけかというと母も母で、働いていた頃作ったサリーなるものを纏《まと》って突然親戚の集いに出掛けたりする。びっくりはするが、父は「なかなか似合ってるよ」などと言うので口をはさむまでもないとは思う。

「参ったなぁ……」と思う分だけ、私も誰かにそう思わせているんだろうか……。

目が腐る

土橋とし子
（イラストレーター）

実は私、青空の下ですっ裸（私の場合、ヌードでもまっ裸でもない）になったことがある。それも午前中だ。別に大自然の中で、素人《しろうと》ヌード写真を大竹省二先生に撮ってもらったわけでも、もちろんない。絶対ありえない。そんなことをチラッと想像しただけで、恐ろしくて死んでしまいそうだ、死んでしまいたい。そんなもんをうっかり見てしまった不運なあなたも道づれだ。多分、目が腐ってしまうだろう。ましてや生の私のすっ裸なんて見た日にゃ、即死間違いなし。はっきり言って「ああ、恥ずかし」なんてレベルではない。針は振りきって、とっくに壊れている。

どうおまけしても（石田えりや名取裕子みたいだったら、話は全く別ですが……)、人様に見せられるような身体《からだ》ではない。もちろん、お風呂《ふろ》に入る時は裸になるけど、我ながら気を失ないそうになる。ここだけの話だけど、実はすでに右目は腐っている。

去年の夏、友人と岩手県にある「夏油《げとう》温泉」に行った。いわゆる秘湯というやつで、北上駅から山道をバスで約一時間。なんと嘉祥《かしよう》年間に白猿の群れが湯に入っていて発見されたという伝説の温泉なのだ。川の脇《わき》やらに七つの天然の露天風呂があって、私たちが挑戦したのは「洞窟《どうくつ》の湯」というやつ。

矢印の指す方に行くと「四郎左エ門の滝」というのがあり、その脇に私たちの目指すお風呂があった。入口は狭く、下駄《げた》箱のような箱が六つ。当然、脱衣場ということらしい。モジモジしているヒマはない。素早く脱いで素早く洞窟に入らねばならない。こんな青空の下、それも滝の横ですっ裸になるなんて……なんて無防備、そして大胆。この洞窟が温泉じゃなかったら、私たちは単なる脱ぎたがり屋さんだ。

スッポンポンになった私たちは、「何かあった時(果たして何があるというのだ)の為《ため》にパンツだけは持って行こう!!」ということになり、各自手の中にパンツを握りしめた。洞窟の中はまっくら、まっ、そこが気に入ったのだが、手にパンツを握りしめたすっ裸女が二人、手さぐりで入って行く。お湯はひざぐらいまでしかなく、少し白濁して塩辛い。私は暗い洞窟の中にゆっくり寝そべった。ナカナカいい感じ。ふと、不安がよぎった。「もし、ここにオヤジたちがドヤドヤ入ってきたらどないするーう」と私。猿がみつけた温泉だから、二人で猿のふりをしたらエエやん、それにどっちにしても目が腐るか、即死やということで落ち着いた。

結局、猿のふりも、何かの時のパンツもはくことなく、私たちは秘湯を無事、堪能した。

内縁の妻は自意識過剰

町山広美
（放送作家）

「えあ〜、鼻がもげるぅ」。声がしたのは、怪奇小説の中ではなく地下鉄の車内だった。五歳くらいの男の子が、ドアのガラスに鼻を押し当てていた。ブタ鼻の状態。そしてからだをしならせ、つま先立ち。鼻に重みをかけてよりむごたらしくつぶれるよう、努力しているのだ。リュックを背負った彼のななめ後ろには、ネクタイをゆるめた男の人。平日の昼前だったから、休暇を取ったはずの父親がはずせない用事で会社に立ち寄ったあと、子供を遊園地か動物園あたりに連れていくところなのかもしれない。うれしさと程よい痛みでブタ鼻くんの興奮は高まり、いよいよ声が大きくなる。「おとーさん、鼻もげどぅ〜」。見上げたその目に、ようやく父親が目を合わせた。「ちゃんとしなさい。恥ずかしいよ、もうおっきいんだから」

自分の鼻を押し上げるのは、私も好きだ。テレビを見ながら、不思議な充実感と程よい痛みをなめる。でもおっきいから、人前ではやらない。見られたら恥ずかしい。

小さな子供は「恥ずかしい」をよく知らない。純粋とか無垢《むく》という言葉を当てはめるまでもないだろう。「恥ずかしい」を知らないからこそできることが子供にはある。バカなことがほとんどだけど。

「恥ずかしかったエピソードをご披露ください」と依頼された原稿でこんなことをたらたら書いているのは、私が「恥ずかしい」にとても弱いからだ。記憶の「恥ずかしい」戸棚を開ける勇気がない。シャンプーの最中にこの戸棚が勝手に開くと、短い叫び声を我慢できない私なのだ。自ら開けて、中味をご披露するなんてとんでもない。なんとか逃げきりたい。

そもそも私は、たいていのことが恥ずかしい。そのこと自体が、また相当に恥ずかしい。

だって「恥ずかしい」の内縁の妻は、「自意識過剰」なのだ。正妻はといえば、「尊厳」である。正妻との関係で生じる「恥ずかしい」は、正しく美しい。人間の価値はそこにある、とも思える。比べて、内縁の妻とのゴタゴタはくだらない。だから正妻を大切にすれば良いだけのことなのだが、内縁の妻のところにいりびたってしまう。過剰な自意識にだらしなくつきあってしまう。水は低きに、人はらくちんに流れる、というやつで。

きれいに別れる自信はないが、内縁の妻の正体を人に知られないための努力はしたいと思う。例えばこの原稿を、自分にとって何が「恥ずかしい」かを披露することから逃げたまま終わらせる、とか。

果たして私は、逃げきれたのだろうか。

そうでなければ、恥ずかしい。

〝恥ずかしい〟って何かしら

池田理代子
（劇画家・作家）

道義的な意味での恥ずかしいことにはきわめて敏感なつもりである。

しかし、別な意味でのいわゆる〝恥ずかしさ〟ということになると、根がいい加減なのか、世間との基準が大きくずれているのか、自分ではあまり「ああ、恥ずかしい！」と感じるようなことをしでかした記憶がない。

にも拘《かかわ》らず、よき市民である母親や妹などからはしばしば「人前に出すのも恥ずかしい」と言われる。確かに昔から、よく母親が学校の先生に呼び出されるようなことをしでかしていたらしいし、枚挙にいとまのないほどのドジも踏んできた。

ホテルの自分の部屋からあられもない姿で締め出され、廊下を人が通り掛かるのを待ってボーイを呼んでもらって鍵《かぎ》を開けてもらったり、レストランで大切な人を招待して食事をし終えたら、うっかり財布を持ってくるのを忘れていてその招待客に借金をしたり、大使館での着席のパーティに招かれて盛装して出掛けて行ったら、一日間違えていて既にパーティは終わっていたり、スーツに洗濯札をつけたまま講演に出掛けたり、というようなことは日常茶飯事のようにある。

しかし本人はそれを恥ずかしいと思うどころか、むしろ貴重で面白い体験をしたと感じているので、〝恥ずかしい体験〟を書けと言われて少々困惑している。

着物を着て何かの会に出掛けていったとき、どうも腰のあたりがもぞもぞして気持ちが悪いのでおかしいと思っていたら、脱いだはずのスリップが丸まって中にとどまっていたりして吃驚《びっくり》したことがあるが、それとて、恥ずかしいというよりは、いつそのスリップが落ちるかと困ったという記憶しかない。挨拶《あいさつ》で壇上に上がったとたんにスリップがはらりと落ちたら、それはそれでさすがの私でもきっとすごく恥ずかしかったに違いない。困ったという記憶で今でも鮮明に覚えているのは、高校生のときのことである。だいたい私は、何かひとついつもより余計なものを持つと、代わりに何かひとつを忘れるという性癖があるのだが、冬になって、初めてオーバーコートを制服の上に着ていった日のことである。学校に着いていざオーバーコートを脱ごうとして仰天してしまった。

何と、制服のスカートをはくのを忘れて来てしまっていたのである。その時は本当に困ったけれど、先生に訳を話して一日中コートを着たままでいさせて貰《もら》って事なきをえた。

怪しいおばさん

近藤ようこ
（漫画家）

土の上に落ちたスズメの死骸はどうなるか。アリがたくさんやって来て、土をかぶせる。まもなく小さな古墳ができあがる。その下で何が起こっているかはわからない。一週間ほどたつと、古墳は崩れて平らになる。後には骨と羽根が散乱している。

すべてのスズメの死骸がこうなるかどうかは知らないが、私が「観察」した二例はこうだった。私はこういう「観察」が大好きなのだ。実は仕事でツシマヤマネコやアマミノクロウサギなんかを見にいったことがあり、その時は気分はややアカデミック、服装装備もそれなりであった。

しかし道端に築かれたスズメの古墳を毎日通りすがりに「観察」する私。あるいは街路樹のヒバの葉の上で、長さ五ミリほどのミノムシのミノをむいているアシナガバチを「観察」する私は、買い物カゴから葱《ねぎ》をのぞかせているという、サザエさんか昔のコントに出てくるようなおばさんである。他人から見たら変な人だろう。

世の中には自分のことを永遠の少年だとか思っているオヤジが多く、なかなか傍痛《かたわらいた》いことである。それに比べれば、私はまだしも自分を知っている。変な人、それどころか、買い物カゴを抱えたおばさんが他家の庭木をいじくっていたら、立派な不審者だろう。

それは日当たりのいいところに植わっている小振りのサンショウの木だった。そういう木には必ずアゲハの幼虫がいるのである。私はアゲハの幼虫はかわいいと思うし、彼らが蝶《ちょう》になるのは楽しみだ。それで毎日、通りかかるたびに「観察」していた。

ある日、その家のおじいさんに何をしているのかと声をかけられた。怪しい者ではありません、虫を見ていました。おじいさんは当然、怪訝《けげん》そうな面持ちであった。ああ、なるほど、この虫か。と言っておじいさんは幼虫をサンショウの葉からつまんで捨てた。

あっ、かわいそうです！　私は幼虫を拾って葉にもどした。おじいさんはますます怪訝そうだった。

翌日、サンショウの木に六、七匹はいたはずの幼虫は全部いなくなっていた。あたりまえである。おじいさんに駆除されてしまったのだ。私はなぜか、おじいさんにとって幼虫が邪魔者であるということに気がつかなかったのである。

これでは永遠の少年オヤジを馬鹿《ばか》にできないではないか。

以来、そのサンショウの木には恥ずかしくて近づけないでいる。

恥は外聞

前川麻子
（作家・女優）

高校野球が恥ずかしい。誇らしげな顔の球児たちが行進する様を観《み》ると、ブリーフ姿の青臭い少年の行列をイメージしてしまって、赤面する。匂《にお》い立つような恥ずかしさである。
バイト先のバーのカウンターで、「うちの会社、安月給で参っちゃうよ」などと愚痴をこぼすおじさんが恥ずかしい。自分の低能さが給料の安さだとは考えないのかと不思議に思う。それに比べればカラオケで激しい音痴ぶりを堂々と披露するおじさんなどはちっとも恥ずかしくない。カラオケで恥ずかしいのは、しっかり歌い込んでいます、というこなれた巧《うま》さで声を張り上げるタイプである。あたしのバイト先では店主もあたしも、こういうタイプに拍手をしない。それと、どう見ても四十代の人が歌う「モーニング娘。」にも拍手をしない。拍手をしている自分が恥ずかしいからである。

それにも増して、妊婦が恥ずかしい。乳児を連れている母親然とした女性にも同様の恥ずかしさを感じる。先日、ホームに止まった電車に乗ろうと足を一歩踏み出して、臨月ほどの大きさの腹ボテ女性に露骨に押しのけられた時には、とても人には言えないようなことを頭の中で考えた。

つまり、恥ずかしい、とは欠片《かけら》も思っていない人たちに、押並《おしな》べて恥ずかしさを感じるのだろう。偏屈なのである。

赤ん坊にいわゆる赤ちゃん言葉で話しかけるのは恥ずかしいが、うちの猫に言っても分かりゃしないことを延々話しかけるのは、恥ずかしくない。化粧品売り場で販売員にテスターを塗りたくられるのは恥ずかしいが、スウェット穿《は》いて顔も洗わず自転車でスーパーに行くのは、恥ずかしくない。アンアンの星占い特集号を買うのは恥ずかしいが、街頭の手相見に掌《てのひら》を差し出すのは恥ずかしくない。バーゲンセールの会場に入るのは恥ずかしいが、試着して気に入ったところで値段を聞いて「予算オーバーだから、また今度にします」と断るのは恥ずかしくない。薬局で便秘薬を買うのは恥ずかしいが、腸の洗浄クリニックに通うのは恥ずかしくない。

そもそも、ロマンポルノに主演し自己破産で免責を受け三度目の結婚をし生い立ちを綴《つづ》って新人賞を戴《いただ》き初めて出版された小説の印税を前借りした今、自分に対する羞恥心《しゅうちしん》などとうに擦り切れて何が恥ずかしいのかわからなくなってきた。正に厚顔無恥である。だが自分の本が新刊コーナーに並んでいるのを確かめる瞬間は顔から火が出るほど恥ずかしかった。それでも、それを二冊ばかり自分で買うのは、恥ずかしくない。

やはり、手前勝手なのである。

倒れても大丈夫

岸田今日子
（女優）

わたしは何故《なぜ》か、酒豪だと思われることが多くて、ビールもワインもグラスに一杯だけとか言うと驚かれたりする。「ええ？　そんな」と信じてもらえない時は、「実は酒乱なんです」と言うこともある。

酒乱になるまで飲んだことはないけれど、去年、舞台の打ち上げで、ちょっと盛り上がって適量を越えたらしい。といったって、ワイン二杯だ。皆で地下鉄に乗って、途中でわたし一人が乗り換えた。深夜の地下鉄は、席は空いてないけれど立っている人もいない位の状態だった。わたしは吊革《つりかわ》にぶら下がって、次の駅で降りればいいわけで、ふっと気がゆるんだと思ったら、気絶したらしい。

「大丈夫ですか」と声がして眼を開けたら、若い男の人の顔が眼の前にあった。わたしは「大丈夫です」と、吾《われ》ながら間の抜けた返事をして、完全に電車の床に横たわっている自分を発見した。帽子を目深《まぶか》にかぶってはいたけれど、だからいいというものではない。立ち上がったらちょうど駅に着いたから、フラリともせず降りて、後ろは見ないで歩いた。どこも痛くも汚れてもいなかった。わたしも恥ずかしかったけれど、見た人は何が起こったのか判《わか》らなかったにちがいない。

実は十年ほど前にも一度、お酒で気絶した。吉行和子さんと橋爪功《はしづめいさお》さんが遊びに来ていた。和子さんは全く飲めないから、ヅメに付き合って、まあ家だからいいかと思って梅酒の薄い水割りを、長時間かかって二杯飲んだ。二人が帰るのを見送りに玄関へ出た途端、気を失って、でも何か短い夢を見たようだ。

「今日ちゃんが倒れた」と、ひどくのんびりしたヅメの声が聞こえて眼が覚めたら、和子さんが心配そうに覗《のぞ》いていて、わたしは上りかまちの、じゅうたんに寝そべっていた。そして即座に立ち上がって「じゃあね」と見送った。

翌朝、「大丈夫だった?」と和子さんから電話があったけれど、ヅメは全く気にしてくれなかったらしくて、「男は薄情だ」ということになった。もっとも和子さんに言わせると、わたしは倒れる時、ヅメにもたれかかったそうで、「あんな時でも男の方を選ぶのね」とケイベツされた。そんなこと言ったって昔の映画や舞台で、美女が失神してくずおれる時は男の腕の中と決まっているではないか。

それにしても恥ずかしいのは、二杯かそこらのワインや梅酒で貧血を起こすことなのか、何秒かで平然と立ち直ることなのか、よく判《わか》らない。

唐突な半チチ

酒井順子
（コラムニスト）

水泳の試合で、女子選手達が尻《しり》に食い込んだ水着を直しているシーンをよく目にします。水着というのは、少し運動するとすぐに尻に食い込むものです。そして尻に何かが挟まると、人間はとても気になるもの。

私も大学時代、水上スキー部に属していたので、水着が尻に食い込む状態、つまりは「半ケツ状態」によくなりました。滑っていて勢いよく沈（ちん、と読む）すると、確実に水着は水の圧力によってフンドシの様になり、半ケツ、と言うよりほとんど全ケツが露出するのです。

水のスポーツをやっていると、男も女も「他人の裸」というものに慣れっこになってきます。男子部員の半裸や全裸を毎日のように見ていたせいか、私自身も半ケツくらい見られてもどうということはありませんでした。

しかし、です。野尻湖での合宿中のこと。私はスラロームを滑り終えた後、ちゃんと水中で半ケツを直してから、モーターボートの上に上がりました。スラロームを滑る時は、水着の上にライフジャケットを着ています。私は止め金を外し、ライフジャケットを脱いで水着姿となりました。それから自分が使った板やロープを片付け、タオルをとり、顔を拭《ふ》いてふと上半身を見ると……。

私は愕然《がくぜん》としました。なんと水着の上半身の左半分がよれて、半ケツならぬ「半チチ」になっていたのです！　レスリングのユニフォームは胸の切れ込みが激しくて乳首が露出していますが、私の水着も片方だけレスリングユニフォーム状態、でした。

おそらく沈した時の衝撃によって、ライフジャケットの下で水着がこより状になってしまったのでしょう。さすがに一瞬あわてましたが、ジタバタしても、騒ぎを大きくするだけ。さりげなく、タオルで隠して水着を戻し、「ちょっと風が強いっすねー」などと言いながら、何事もなかったかのように振舞ったのです。

そのボートに乗っていたのは、私の他に男子部員が三人。そのうち一人の先輩は絶対に、私の半チチ状態を目撃したに違いありません。しかし彼も、何も言わずに次の用意などをしていました。

やはり水上スキー部時代の私達は、「裸」に対する感覚が麻痺《まひ》していたのです。確かに私も半チチに気づいた後、一瞬は〝恥ずかしい！〟と思いましたが、次の瞬間は〝マ、こんなこともたまにはあるだろう〟と平静になった。しかしもし今、同じように「知らないうちに半チチが出ていた」なんてことがあったら、恥ずかしくて悶絶《もんぜつ》するでしょう。

今でも裸への麻痺は、完全に消えたわけではありません。男性の尻とか、パンツ姿といったものを、「普通の風景」としてとらえることができるのは、私のちょっとした誇り。ま、四年間の水上スキー部生活が残したものがそれだけというのは、ちょっと情けないのですけれど。

感度良好？

日向《ひなた》 蓬《よもぎ》
（作家）

「血、出てるで」

と人からよく言われる。言われてから自分の体を見回してみると確かに、手にコピー用紙で切ったと思われる傷があったり、新しい靴を履いた踵《かかと》から血が出ていたりする。そう、私は「鈍い」のだ。

去年の夏のことだった。ケーキを買って店を出る時、段差を踏み外して転倒した。左足首をひねってかなり痛かった（ような気もした）けど、転んだ恥ずかしさもあったし、何より箱の中のケーキのダメージが気がかりだったので、すぐに体勢を立て直して家路に着いた。異変に気付いたのは翌朝のことだ。足首が腫《は》れ上がり、踝《くるぶし》の所在が確認できない程になっていた。しかもかなり痛い

（ような気がする）。仕方がないので二十分歩いて病院に行くと、医者は言った。「足首の靭帯《じんたい》、切れてます。こんなえげつない切り方なかなかないんやけどねえ。スポーツ選手とか完璧《かんぺき》に機能を取り戻さなあかん人には手術を勧めるけど、その必要がなければ今すぐギプスやね」

もちろんこんなにも鈍い私がスポーツ選手であるはずはないから「今すぐギプスコース」を選んで、足首をチョッカクに固定され、松葉杖《まつばづえ》をついて病院を後にした。そうして暑い夏の間中、ギプスの脚を引きずって電車通勤をするという憂《う》き目にあったのだけど、大量に処方された痛み止めを一度も飲まずに済んだのは、鈍さゆえの利点と考えるべきか？　ちなみにケガの原因を人に聞かれる度、段差を踏み外してというのは笑うに笑えないので、「緊縛プレイ中の事故です」と冗談で答えていた。かなり笑いがとれて、私はそれなりに満足だった。

念の為《ため》に申し上げておくが、こんな私でもすべての感覚が鈍いというわけではない。「おいしい」とか「気持ちいい」ということにはかなり敏感な方だと思う。考えてみれば幸せだ。痛みには鈍いけど感度は良好！　私は「官能小説家」に向いているのに違いない！「女による女のためのR―18文学賞」で大賞をいただいた時は、鈍くて不器用な自分に合う道具をやっと与えられたような気がして、ナミダが出た。ただちょっぴり困るのは、受賞作『マゼンタ100』の出版によって職場をはじめ周囲に「その手の」小説を書いていることがバレて（？）以来、「緊縛プレイ中の事故です」と言っても笑ってくれるどころか、その言葉の真偽を測りかねて困惑するのか、誰もが口を閉ざし硬直してしまうことだ。そのほんの数秒の気まずい「間」と言ったら……。

ここは大阪。自分の身をおとしめてでも、笑ってもろたモンの勝ち！　ああそれなのに、笑ってもくれないなんて、何だかかえって恥ずかしい。

6　仕事だからって、ここまでする？

幻の入浴シーン

中山庸子
（エッセイスト・イラストレーター）

「中山さん、たしか大の入浴剤好きだったわよね」

以前から付き合いのある女性誌の副編集長から電話が入った。

「ええ、大好き。お気に入りのものを紹介するなら、今凝っているのがあるけれど」

「そうじゃなくて。入浴剤の新製品のタイアップなんだけど、引き受けてもらえるならすぐに商品を送るので実際に使って、その感想を……というのは」

「もちろんいいですよ。嬉《うれ》しいなぁ」

「それで、インタビューと撮影の場所のことだけれど、中山さんの自宅と事務所、どっちもお風呂《ふろ》あったわよね」

「えっ！　そんな、ダメ！　もしかして入浴してるところなんて！　そういうのはもっと若い……」

「何慌《あわ》ててんのよ、あなたは顔写真だけ。商品撮影にお風呂場借りようと思って聞いたのよ」

私だって、普通ならこんな早とちりはしない。けれど、実は以前同じ雑誌のダイエット特集の時、断食《だんじき》道場の体験レポートを是非してほしいという依頼があって、その時つい「私、一食でも食事抜くのはダメ。断食以外のことなら何でもするから、今回は別の人にして」と言ってしまったことがあったのだ。

以来、その雑誌からは「ヘアスタイル特集で、中山さんが色々なカツラ（古いな、今はウィッグね）をつけた写真を撮影して」を皮切りに「手術着みたいなの着て指圧体験」「手ぬぐい被《かぶ》って漬け物修業」「化粧品メーカー各社の肌年齢診断をはしごする」というように、「断食以外ならOKでしたよね」と言わんばかりにユニークな取材依頼が来た。

「断食以外」発言をしたのは確かなので、引き受けた。けれど私が金髪のウィッグをつけた写真を見た別の雑誌の編集長からは「エッセイストのあなたがそこまでやらなくても……」と、暗に似合わなかったと指摘され、肌年齢では五十七歳という衝撃的な数字に落ち込む、という結果になった。

「恥ずかしい体験はいいネタになる」と考えてしまうのはエッセイストという職業柄しかたなく、入浴剤話を聞いたほんの一瞬〈何回かエステに通ってお肌を磨けば……〉という思いが頭の片隅をよぎったことも告白してしまおう。

「あなた、イラストレーターでもあるんだから、気持ち良さそうな入浴シーンはイラストにするのよ」

「ハイ、わかりました」

文中作品はあくまで例題

三浦しをん（作家）

小説を書くときにいつも苦慮するのは、登場人物の容姿に関する部分である。私の脳裏では、ワイルドかつどこか憂《うれ》いのある無茶苦茶かっこいい男が煙草《たばこ》を吸ったりしている。しかしその男のかっこよさを、小説的文章としてどう表現したらいいのだ。

事務所に踏み込んだ三人の男たちは、銃口を突きつけられても泰然と煙草をふかしている中島に苛立《いらだ》った。雲が切れ、月の光が窓から射《さ》し込んだ。ワイルドかつどこか憂いのある無茶苦茶かっこいい中島の横顔が、闇《やみ》の中にはっきりと浮かび上がった。

これではやはり感興がそがれる。そこで仕方なく、もうちょっとまろやかに中島の容姿を描写することを試みてみる。

雲が切れ、月の光が窓から射し込んだ。中島の秀でた鼻梁《びりょう》、深い森の中にある湖のように澄んだ瞳《ひとみ》、冷たい甘やかさのある薄い唇が、闇の中にはっきりと浮かび上がった。

……なんじゃこりゃあ！　私はもう血ヘドを吐きながら雄叫《おたけ》びを上げてパソコン画面にガツンガツン自分の額を打ちつけてしまう。

「恥ずかしすぎるぞ、自分！　もうちょっとスマートに人間の容姿を書くことはできんのか！」

「すいません、教官。自分はもういっぱいいっぱいです。これ以上容姿の記述を試みたら、顔面の毛細血管が破裂して出血多量で死んでしまいます」

「ううむ、いたしかたない。それでは別の方法を考えるのじゃ」

深夜の一人脳内会議終了。「外堀から埋めろ」作戦発動。つまり、具体的な容姿の描写をできるだけ避けつつ、中島がいかにかっこいい男であるかを表現するのだ。中島はかっこいい男だった。と、句点を含めて十三字ですむことを、二百枚以上かけてあくまで雰囲気で読者にアピールするというこの非効率。

そしてようやく、「これならたぶん読者の皆さまも、『具体的に顔は浮かばないけど、中島ってかっこいいわ』と思ってくれるだろう」と納得のいく物語ができあがったとしよう。

しかしまだ苦難は終わらない。実は私は食べ物を描写するのも非常に苦手なのだ。ゆえに小説内の食事は常にヘンテコリン。二百枚もかけてかっこよさをアピールしたはずの中島なのに、彼ときたらなめこのみそ汁と干しイモを平然と食べていたりするのであった。あああ。

秘密の原稿

相沢友子
（脚本家）

「もの書き」という仕事は恥をかいてナンボだ、とよく言われる。まぁ確かに自分が考えていることを文章にし、それを人に読ませるというのは、冷静に考えてみれば相当恥ずかしい行為かもしれない。

私は子供の頃から詩や小説（もどき）を書いていて、家族や友達にも抵抗なく見せてきたので、その辺の感覚は多少薄れているように思う。が、脚本を書く時だけは、どうも話が別らしい。

なぜか？　まず、脚本は詩や小説と違い、共同作業で創《つく》っていくことが多い。自分の考えを提示して完結するのではなく、そこを叩《たた》き台に監督やプロデューサーと様々な議論を重ねていく。

思いついたことをとりあえず口に出し、それに対して目の前で首を捻《ひね》られたり苦笑されたりするのは、結構恥ずかしいものである。しかもそれがラブストーリーの、キスシーンについてだったりすると、もう、とんでもない。「私だったらこういうキスをされても恋には落ちないですね」「私はこういう瞬間にたまらなくキスをしたいと思います」なんてことを、真面目《まじめ》な顔で言わされるのだから。

今年の一〜三月に放映されたドラマ「いつもふたりで」の中に、傷ついた幼《おさな》馴《な》染《じ》みの男を主人公が慰めようとするエピソードがある。放送ではただ抱きしめて「私が傍にいるよ」と言うだけだが、実は最初はそのままふたりがベッドに倒れこみ、途中で躊躇《ちゅうちょ》する男に「好きだから抱いて」と主人公が訴える……という展開だった。

どうなんだろう？　と半ば冒険のつもりで書いてみたところ、これが死ぬほど恥ずかしかった！　部屋でパソコンに向かいながら「お父さんお母さんゴメンなさい」と何度も心で呟《つぶや》いたくらい。おまけにそんな思いで書いていったのに「やっぱり相沢さんらしくないですね〜」とあっさり却下されてしまうし。

結果的にはその方がよかったと思うが、打ち合わせが終わった後プロデューサーに「いやぁ、パンツ脱ぎましたねぇ(思いきりましたね)。この原稿、記念にとっておこうかな」とからかわれた時には、さすがに何のコメントも返せず、俯《うつむ》くことしかできなかった。

これも「もの書き」としての成長につながるのならよしとするべきなのか。

そう言い聞かせても、あの原稿が今もどこかに存在するかと思うと、やはりゾッとする。

証拠写真

中山可穂
（作家）

先日、初めてのサイン会をおこなった。

何しろ初めてのことであるから、お客様が何人くらい来てくださるのか見当もつかない。サクラも含めてせいぜい三十人くらいだろう、いやいや整理券は半分ははけていますから五十人は固いですよ、などと担当のTくんと数日前から ソワソワドキドキ、仕事も手につかない有様であった。わたしはサクラ招集に血道をあげ、チラシを新宿二丁目にまきに行こうかと本気で思ったものだった。

ところが蓋《ふた》をあけてみると、先着百枚という整理券の数をはるかに上回る行列ができているというではないか。正確な数字はわからないが、およそ十名のサクラを含めて百二十から百五十人もの人々が来てくださったようである。一時間の予定時間を大幅にオーバーして、きっちり二時間かかってしまった。

さぞ女性ばかりが集まるだろうと、わたしも、Tくんをはじめとする独身男たちも期待していたのだったが、意外にもおじさま方が多くてがっかり、いやもとい、びっくりした。男性客には仏頂面《ぶっちょうづら》で、女性客には満面の笑顔で接していたとあとからみんなに言われたが、そんなことはない（と思う）。初めてお目にかかる読者の方々にお礼を述べるのが精一杯で、あっという間に二時間が過ぎた。

実はつい最近、大失恋をした直後であり、これはと思う美女がいたらナンパ大作戦を展開すべく、わざわざ携帯電話まで買っておいたのだが、サインと一緒に番号を書き込む余裕などまったくなかった。そんな芸当ができるようになるまでには、それなりの年季が必要なのである。

携帯電話は無駄に終わってしまったが、本当に楽しいサイン会だった。いきなり抱きついてキスしてきた女性のお客様、手作りの大福をもってきてくださった茨城のおばちゃん、自作の曲を捧《ささ》げてくれた高校生の女の子、愛媛から深夜バスで会いに来てくれた青年、誰も彼も忘れられない。わたしは久しぶりに幸せな気持ちを味わっていた。小説を書いていてよかったと、心から嬉《うれ》しかった。

そのあとの打ち上げで、あまりの嬉しさに珍しく酒を嗜《たしな》んだ。深夜二時まで飲んで、その帰り際《ぎわ》、タクシーまで送ってくれたTくんに感謝の気持ちをこめてチューをした（らしい）。誰が撮ったかそのときの写真が今わたしの手元にある。恥ずかしいのは迷惑そうなTの顔だ。それを見るたび、担当を代えてもらおうかと考えている今日この頃である。

資料

さかもと未明
（漫画家）

あたくしはレディコミ作家。女向けエロまんがを描くのがお仕事です。それ自体の恥ずかしさを乗り越えることよりも、恥ずかしがりの年代のアシスタントを使いこなすことが難しい。「あー、ここは♡♡コから汁がだらだら垂れてるとこをトーン削ってヤバくないよーにしあげて」「ここはブスッとはいってるとこだから、効果線で動きだして『ああっ奥まではいってるううっっ』みたいな感じ？」なんて指示をビジネスライクに伝え、仏頂面の娘たちに働いてもらわねばならんのです。「これは『表現』、つまり『芸術』なんだから恥ずかしくないのよ？」と、納得させるのがテーマってとこでしょうか。
おなじ言い訳の下、時にあたくしたち漫画家のもとに、編集部からバイブなど大人向け玩具のプレゼントが送られてくることがあります。これは「忙しくてお前ら男とやってる暇がないだろーから一人でやっていろ！」ってことなんでしょうが、ま、資料ってことで送られてくるんですよ。当然使いますよね。勿《もち》論《ろん》仕事でなくプライベートで。ある日遂《つい》にうちのアシスがいいだしたのでございます。

「先生！　バイブなんてかけませんっ！　見たことないんですもんっ」「じゃあ、編集部から資料で送られてきたのがあるから、見て描きなさいよ。あたしは興味ないから見ないでしまっちゃったけど……」あたくしはそれをベッド下からとりだして、渡したんであります。内心『あれは色が濃いから、五回位使っちゃったけど、バレないだろ』なんて思いながら。

ところが、それをみたアシスたちの顔が急にこわばったのですわ。あたくしは『バレる訳ない！　たいして変色してないハズッ』と、冷静な顔で覗《のぞ》きこみました。内心はドキドキです。したら——。

なんという事でしょうっ！　バイブが『最低一回使用済み♡』を立証するかのように、ご丁寧にティシューにくるまれているではありませんかっっ。前回使いおわったダーリンさまが「雑菌でこの次キミが膀胱炎《ぼうこうえん》にならないように♡」なんて洗ったあと、ティシューにくるんで、収納したにちがいありませんっっ！

「あ……あらやだ、編集の人、撮影で使ったの送ってきてたのかしら。あけてもいなかったから、気がつかなかったわ」

セーフ！　セーフ！　絶妙な言い訳！　あたくしは心の中で叫びました。これでオッケーよ。涼しい顔してればバレやしねーっ！　けれどその後数日アシス達から話しかけてもらえなかったのはいうまでもありません。「なにむくれてんの？　こないだバイブ描かせたのまだ怒ってんの——？」なんて肩をたたいてご機嫌とってしまうほどにドツボ。カノジョらの沈黙が、ああなんて、ハズカシイ!!

勘違いな女

田口ランディ
（文筆業）

去年の六月、一人の男性が我が家にやって来て突然「小説を書きませんか？」と言い出した。

びっくりした。私は田舎で子供を育てながらインターネットにタダの文章を細々と書いているごくありふれた主婦だった。素っぴんに長靴で買い物に行くような女である。しかし、彼は「田口さんならきっと凄《すご》い小説が書けます」と断言するのである。

豚もおだてりゃ木に登るもので、私は彼の熱意に押されて長編小説というものを書き始めた。よくもまあ、まるで無名の素人《しろうと》同然の私に小説など書かせたものだ。しかも、一週間に一回は電話かメールで「いかがですか？」と激励してくれる。書けば褒めてくれるし、酒にもつき合ってくれる。私は編集者という人々とつき合った事がほとんどなかったので、えらくくすぐったい不思議な気分になった。過去にそんなマメな事をしてくれた男は、自分に気がある男だけである。恋愛というものを抜きにして、異性からこれほど興味を向けられたのはたぶん生まれて初めてだ。奇妙な体験だった。十歳若かったらボタンを掛け違って恋をしていたかもしれない。

半年がかりで小説（『コンセント』）は脱稿し、五月に刊行された。編集者と祝杯をあげ「よかったよかった」と酔っ払って、つい口がすべった。

「なんかさあ、編集者っておだてるのが上手《うま》いから口説かれてるような気分になっちゃうよね。でも、実はそうじゃないわけで、それがさびしかったりするよなあ」

すると彼は、ぴょんと飛び上がって「え！　僕は、口説いているみたいでしたか？　すみません」と謝るのである。いや、謝らなくてもいいんだよ、そういう事じゃないんだけど、ちょっと寂しいわけさ、と言いわけしてもうまく伝わらない。めんどくさいのでその話は強引に打ち切った。

帰り道、靖国《やすくに》通りを歩きながらまたしても彼は思い出したように言うのである。

「そうだ、今度、田口さんのご主人ともいっしょに飲みたいなあ」

なんだそりゃ。こいつまださっきの事にこだわってるのかと思った。言うんじゃなかったが後の祭りである。違うんだよな。女ってのは親切な男はみんな自分に気があると思っていたい生き物なんだよ。六歳も年下の男にそれをどう説明していいかもわからず、私はひどくせつなく照れくさい。

私ではなく、私の文章が愛される。その事実にいつも少し傷つく。でも、傷つかなくなったら私は本当に勘違いな女になっちゃうんだろう。

これでいいの一？

小谷実可子
（スポーツキャスター）

　TV局というものに出入りするようになって二年半になる。選手の頃から主だった大会の後にスポーツニュース番組などに招かれてゲスト出演というのは随分あったけれど、あくまでそれは選手という立場で。ちょいちょいと質問に答えて終わったらさっさと退散する。要するに他人の家の庭を横切って後から「へェこんな家だったか」と振り返り「我家とは大分違うなぁ」と思うようなものだった。

　それが、一つのTV番組にレギュラーで、しかも伝える側として出演するようになると、周囲の人々は私を「TV人」と見るし、勿論《もちろん》TV局の人は「仲間」として扱ってくれる。局内での挨拶《あいさつ》は昼でも夜でも「おはよう」だし、出演者の素顔とTV用の顔の違いにも徐々に慣れて来る。台本を片手に打合わせ。中に「小谷」という名前があることにも不思議を感じなくなった。理由はわからないけれど視聴率がいいと喜び悪いと残念がってみたり。最初は全《すべ》てが新鮮で新しい世界で笑って過ごしている自分に、自身で酔いしれていた。

半年後、野生のイルカとの出会いや、大自然に触れる機会を得た時、自分自身のちっぽけさと、素の自分というか、TVで笑っている私を見ている自分の存在に気が付き、以来、局内を歩いている私に「何やってんの－？」と語りかけるようになった。

同じ頃、TVの仕事をするというのは、夜でもおはようということでも、厚化粧をすることでも、台本を片手に考えている振りをすることでもない、要するに伝えたいと思う事、伝えなければいけない事を表現することなのだ、と思い始めるようになっていた。

「そうよ。TV人にも芸能人にもなり切らなくったって、自分自身のまま素直にやればいいのだ」と思ったら全てが楽になった。芸能人の友達がいなくったって、大きなプロダクションに属していなくったって、どうしても「おはよう」が言えなくったって、勿論、酸欠になる程の化粧に耐えられなくったって。

このままでいいのだー！　と、とっても心が元気になった。

もう「これでいいのー？」と語りかける自分はいない。そこにいるのが本当の自分だから、と堂々と、胸を張ってTV局に出社したある日、すれ違う人が皆私を見て見ぬ振りをする。「さすが業界関係者、町中の人と違ってジロジロ見ないのねー」と感心していた私の目の前にガラスのウィンドウが現れた。そこに映っていたのは、寝坊をした為《ため》、慌《あわ》てて車内でつけた髪用カーラーいっぱいのサザエさんの様な私。

これって女優さんでもしないよねー。

サイン会と担々麵《タンタンメン》

小川洋子
（作家）

十年以上前、デビューして間もない頃、広島県福山市の書店に招かれ、サイン会をした。オープンしたばかりのSデパートの地下にある、中国地方一の売場面積を誇る書店だった。わざわざ東京から、担当の編集者も駆け付けて来た。気持ちよく晴れた日曜日で、デパートはにぎわっていた。しかし、地下へ降りるエスカレーターに乗った時点から、嫌な予感がしていた。サイン会を告知するチラシの類《たぐい》が、一枚も見当たらなかったし、会場にはただテーブルと椅子《いす》が無造作に置いてあるだけで、これから何かが始まるという予感が、少しも感じられなかったからだ。

いや、責任を書店に押しつけるのはやめよう。すべては作家としての実力の結果だと、正直に認めよう。

その日、私がサインしたお客さんは五人、あるいは六人、もしかしたら四人……。いずれにしても、あまりにも少なすぎて正確に数えられなかった。数えるのが恐《こわ》かった。

少ないのならば、焦《あせ》ることなく一人一人に丁寧にサインすればいいものを、動揺していたせいだろうか、相手のお名前を間違えて書いてしまった。なのにその女性は、

「むしろこの方が記念になってうれしいくらいです」

と微笑《ほほえ》み、許してくれたのだ。小川洋子のサイン会の列に並んで下さった(実際並ぶ必要はなかったわけだが)だけでもすばらしいのに、何と心の広い、お優しい方なのか。

辛抱強く私は待った。ほとんど私は、買物客たちの邪魔になっているだけだった。こんな所に腰掛けて、何しているのかしら、というふうな無遠慮な視線を送ってくる人々も、少なからずいた。

一番に辛抱できなくなったのは、書店の人だった。

「ちょっと早いですけど、お昼にしましょうか。美味《おい》しい坦々麵の店があるんです」

実質、サインペンが動いていた時間は、三分程度だった。

私たちは辛い坦々麵を食べた。誰もサイン会の話題には触れなかった。サイン会など最初から予定されていなかったかのように振る舞った。

最近、福山市のSデパートが潰《つぶ》れたと、ニュースでやっていた。地下の書店は、どうなったのだろうか。

芸人メモの謎《なぞ》

清水ミチコ
（タレント）

ついこのあいだの事です。

私は今、レギュラーの仕事で毎週名古屋に通っているのですが、たまたまその日は番組収録後、雑誌のインタビューが数本あり、そのあと別のスタジオでラジオを二本というややハードなスケジュールだったわけです。

終了後、名古屋名物「山本屋」の「味噌《みそ》煮込みうどん」を久しぶりに食べ、体も暖まり、さあこれでスタンバイOK。

帰りの新幹線の車中で、私はまちがいなくぐっすり眠るだろう、という幸せーな予感に満ち溢《あふ》れていました。

さっそく新幹線のシートに座ると私のすぐ目の前に雑誌が置いてあるではな

いですか。

パラパラとページをめくっていると、その中からハラリ、と一枚のメモが私の足もとに落ちたのです。

タイトルが「関東芸人に負けないコツ」。

ハズカシー。

この書き方、きっと大阪から乗って来た関西芸人さんのものではないかと思われます。

そしてこの本を読み、メモをうっかり挟んだまま名古屋駅で降りたのでしょう。

生まじめなタイプなのか、米つぶにも書けそうなくらい小さな文字が隅々にまでびっしり、しかもキッチリと羅列されて書かれてあったのですが、「メンタリティを保つためには」「自己主張の鍵《かぎ》」「右脳の活用・増大」など、むつかしくてよくわからないことだらけ。

ところが、最後に「まとめ」としてあり、ここだけはやけにシンプル。

1 声を大きくし、前に出る。
2 ネタに自信を持つ。
3 服は自前で。

3に思いきり笑ってしまいました。3はちょっと違うんじゃないでしょうか。

まとめだっていうのに。

こんなメモを落としたことにあとで気づいて、めちゃくちゃ恥ずかしかったでしょうな。

しかも偶然私が拾うなんて。

その上こんなところで中身を紹介されるだなんて。

ヒドイ話です。

しかし、落とした芸人さん、これまた偶然これを読んだなら、思いっきり、1で行け。

野人シマムラがゆく

島村洋子
（作家）

恥ずかしいことが果たしてまだ残っているのかどうか、もう私にはわからなくなっている。

初対面の人（♂）と仕事の打ち合わせをしていたとき、なぜだかお産の話になり、「どう考えても痛そうですよね」と私が言ったところ、「そうですね。シマムラさんは子宮後屈ですし、特にそうかも知れませんね」と言われたことがある。

こういうときは相手のことを、「まあ失礼な人」などと思わずに、関係を持ったこともない人にそういうことを言われても仕方のないことをすでに書いてしまった自分を恨むべきである（それによく考えてみるといくら関係を持とうが、子宮が前屈しているか後屈しているかなんかバレるわけはない)。

あるいは酒席でちょっとした口げんかになったとき、相手の男に、「ふん。おまえなんか初体験が十四歳で、相手は阪神タイガースの応援団の男だったくせに」とみんなの前で言われたこともある。

こういうときも相手のことを「大人げないヤツだ」などと怒る前に、「原稿には書かなかったけれど場所は高槻《たかつき》のラブホテルで、相手の男は江夏豊の高校のときの同級生だったんだぞ、ばかやろー」くらいのことは言い返せなくてはならない。

あるいは出版社の人に、

「うちの雑誌の対談のギャラを渡したらその足で、封筒破って新宿のラブホテルに行ったというのはシマムラさんくらいですよ」

などといやみを言われても、決して怒らず、「封筒に社名なんか入れないでよ。出すときに恥ずかしいじゃん」とにこにこしなくてはならない。

なぜならどの場合も恨むべきは相手ではなく、それを書いてしまった自分自身なのだから。

だいたいエピソードのひとつひとつを、みんなが正確に記憶してしまうくらいに印象に残っている、ということは書き手冥利《みょうり》に尽きるではないか。

先日、ある旅行代理店に航空券とホテルの手配のため電話した。

「わかりました、じゃあこれで手配しておきます。ではクレジットカードのお名前は？」「シマムラヨウコです」「はい、シマムラヨウコさま。シマムラヨウコさまって、あの作家のシマムラヨウコさまですか？」

私は自分の名前に「あの」とつけられるほど有名でも、指名手配中でもないので訝《いぶか》しみながら、若い女性の声に答えた。

「はい。シマムラヨウコです」

「あの、ハイヒールはいたままやった、やったらハイヒールが相手の背中に落ちて来た、シマムラヨウコさんですか？」

「はい、そのシマムラヨウコです」

ものすごく恥ずかしかったが、どれもこれも事実である。私はそういう人間で、そんなことをすぐしてしまい、すぐにこうして書いてしまう。

それが一番、恥ずかしい。